TABLE DES MATIÈRES   TABLE OF CONTENTS

PIÈCES FIGURANT DANS *TERRE MÈRE*
WORKS FEATURED IN MOTHER EARTH

MESSAGE DE
LISE CORMIER

Après dix ans d'attente à Montréal, les Mosaïcultures Internationales® reviennent enfin dans leur ville natale, sous le thème de « Terre d'Espérance » ! Pour la première fois, la compétition repose explicitement sur des assises environnementales qui viennent étayer sa base culturelle. Si les Mosaïcultures Internationales® ont contribué à ce que la mosaïculture devienne, sans contredit, un art à part entière, « Terre d'Espérance » se veut également le premier événement majeur écoresponsable au Québec.

Plantées dans ce terreau fertile du Jardin botanique de Montréal, l'un des joyaux de la métropole, les Mosaïcultures Internationales Montréal 2013 ont réussi à composer un hymne à la vie tout en poésie et en mouvement, inspiré par les précieux conseils de Frédéric Back. Nous ne pouvons que rendre hommage à ce génie québécois et à le remercier pour sa collaboration si généreuse.

Cette édition 2013 est le fruit de treize années d'expérience et d'expertise en constante évolution et en effervescence depuis la création de la compétition, en 2000, ce qui a permis d'amener cet art horticole à un niveau jamais atteint jusqu'à maintenant.

Grâce au sens artistique et à l'imagination des horticulteurs, sculpteurs-soudeurs et concepteurs, « Terre d'Espérance » défie le climat de morosité qui sévit actuellement sur notre planète en misant sur la beauté de la vie et les différentes formes qu'elle revêt. N'y a-t-il rien de mieux que la nature elle-même pour représenter toute sa splendeur et sa fragilité ?

Les « géants de l'art horticole » se sont certes surpassés, cet été, au Jardin botanique de Montréal, mais ils ont surtout réussi à insuffler âme et vie à leurs œuvres, qui ne pourront qu'émerveiller le million de visiteurs attendus. Nous espérons que l'émotion que ces œuvres sauront certainement susciter auprès des visiteurs allumera cet amour de la vie et ce désir irrésistible de la protéger !

LISE CORMIER

PRÉSIDENTE
COMITÉ INTERNATIONAL DE MOSAÏCULTURE

MESSAGE FROM
LISE CORMIER

After a 10-year wait, Montréal is at long last welcoming Mosaïcultures Internationales® back to the city of its birth, with a theme called "Land of Hope"! For the first time, the contest will speak to environmental concerns in addition to its cultural roots. If Mosaïcultures Internationales® has helped make horticultural art an indisputable art form in its own right, "Land of Hope" also aspires to be Québec's first ecologically responsible major event.

Planted in the fertile soil of the Montréal Botanical Garden—one of the city's jewels—Mosaïcultures Internationales Montréal 2013 has succeeded in composing a hymn to life in poetry and movement, inspired by valuable advice from Frédéric Back. We can but pay tribute to this homegrown genius and thank him for his incredibly generous input.

This 2013 edition is the fruit of 13 years of experience and expertise that have continued to evolve dynamically ever since the competition was created in 2000 and have helped raise horticultural art to a whole new level.

Thanks to the artistic sensibility and the imagination of the horticulturists, sculptor-welders and designers, "Land of Hope" stands as a bulwark against the current wave of global doom-mongering by promoting the beauty of life in all its various forms. Is there anything better than nature itself to represent all of its splendour and fragility?

The "giants of horticultural art" have outdone themselves this summer at the Montréal Botanical Garden, but they have especially managed to infuse their creations with a life and soul that are sure to amaze the one million expected visitors. We hope that the emotions they will certainly provoke among visitors will kindle this love of life and the irresistible urge to protect it!

LISE CORMIER

PRESIDENT
INTERNATIONAL MOSAICULTURE COMMITTEE

MESSAGE DE
LOUIS L. ROQUET

En cette époque où l'espérance est une denrée de plus en plus rare et précieuse, il est devenu crucial de travailler ensemble à cultiver l'harmonie entre les cultures. Ces rencontres, cette coopération, ces échanges sont le terreau fertile duquel pourra naître cette espérance.

Des quatre coins du monde nous arrivent des artisans inspirés, ouverts et généreux, venus nous offrir leur art, leur travail, leur expertise, mais aussi partager avec nous leur rêve, leur vision, leur espoir.

Travail de patience, d'amour, d'audace et d'harmonie, les splendides œuvres présentées aux Mosaïcultures 2013 sont non seulement un régal pour les yeux, mais aussi une illustration brillante des valeurs qu'il nous faut cultiver pour que se propage et fleurisse le monde de beauté, de paix et de prospérité dont nous rêvons. Voilà le genre d'initiative qui fait de Montréal un lieu unique et stimulant, un lieu de couleurs et de lumière, un lieu où il fait bon vivre.

LOUIS L. ROQUET
PRÉSIDENT
MOSAÏCULTURES INTERNATIONALES MONTRÉAL 2013

MESSAGE FROM
LOUIS L. ROQUET

In these times when hope is a precious and ever-diminishing commodity, it is vitally important to work together to cultivate harmony among the world's peoples and cultures. All our efforts in this direction will ultimately provide the fertile soil from which this hope may spring.

We greet here artists and artisans from the four corners of the globe. They are inspired, open and generous, and have come to share with us not only their art, their work and their know-how, but also their dreams, visions and hope.

Borne of boldness, love, patience and harmony, the superb works on display at the Mosaïcultures 2013 are not only a visual treat, but also an embodiment of these same values, values we need to cultivate in order to create that world of beauty, peace and prosperity we dream of. This is precisely the kind of undertaking that makes Montréal a unique, stimulating city, full of colour and light—a place where living is good.

LOUIS L. ROQUET
PRESIDENT
MOSAÏCULTURES INTERNATIONALES MONTRÉAL 2013

MESSAGE DE
GILLES VINCENT

UN MARIAGE RÉUSSI !

Bienvenue au Jardin botanique de Montréal, qui est l'hôte en 2013 du plus grand événement qu'il aura connu dans sa longue et riche histoire des 80 dernières années. La tenue de « Terre d'Espérance » est le résultat d'un étroit travail d'équipe entre celle de Mosaïcultures Internationales® et celle du Jardin botanique. Cette collaboration nous a permis de tenir un événement horticole de calibre international qui rejoint parfaitement l'une de nos missions fondamentales, qui est celle de sensibiliser nos visiteurs à l'importance de la biodiversité sur la planète. Mais au-delà de cette sensibilisation, il y a ce raffinement et cette beauté qui sont le résultat d'une intégration parfaite et intime entre les œuvres de mosaïculture et le cadre végétal du Jardin botanique ! Le résultat est tout simplement renversant !

Bonne visite à tous !

GILLES VINCENT

DIRECTEUR
JARDIN BOTANIQUE DE MONTRÉAL

MESSAGE FROM
GILLES VINCENT

A PERFECT MATCH!

Welcome to the Montréal Botanical Garden, which in 2013 is hosting the largest event ever in its illustrious 80-year history. The "Land of Hope" exhibition is the fruit of close collaboration between the Mosaïcultures Internationales® and Botanical Garden teams.
Their hard work has allowed us to put on a world-class horticultural event that dovetails with one of our core missions—to make visitors aware of the vital importance of biodiversity to our planet's well-being. But even more, visitors are bound to be amazed by the beautiful, graceful way that the mosaiculture pieces are seamlessly integrated into the verdant setting of the Botanical Garden. The effect is simply stunning!

I wish you all an enjoyable visit!

GILLES VINCENT

DIRECTOR
MONTRÉAL BOTANICAL GARDEN

PHOTO : ESPACEPOURLAVIE (HUGO-SÉBASTIEN AUBERT)

Le gouvernement du Canada a choisi d'accorder son appui aux Mosaïcultures internationales de Montréal 2013, une manifestation qui réunit dans la Métropole des participants de 20 pays. Durant tout l'été, de nombreux artistes horticulteurs déploieront des trésors d'imagination pour séduire le jury et le public. Nous souhaitons à tous une compétition haute en couleur! En participant au financement de cette exposition notoire, le gouvernement du Canada contribue à la croissance de l'économie de Montréal.

MOSAÏCULTURES INTERNATIONALES DE MONTRÉAL

The Government of Canada has chosen to lend its support to *Mosaïcultures internationales de Montréal 2013*, an event that brings together participants from more than 20 countries in the heart of the city. Throughout the summer, numerous horticultural artists will be drawing on their talent and imagination as they create treasures to captivate the jury and the public at large. We wish them all a colourful competition! In funding this world-renowned exhibition, the Government of Canada is contributing to Montréal's economic growth.

PHOTO : PIERRE TISON

 Développement économique Canada   **Canada Economic Development**

GRAND MONTRÉAL | 514.283.2500 | montreal@dec-ced.gc.ca   **www.dec-ced.gc.ca**

Canada

MESSAGE DE L'HONORABLE DENIS LEBEL

Disposant d'un Espace pour la vie dont fait partie intégrante son magnifique Jardin botanique, Montréal est la ville tout indiquée pour présenter un concours international de sculptures florales comme les Mosaïcultures Internationales®. La métropole bénéficie en outre d'un avantage de taille : l'expérience de l'organisme Mosaïcultures Internationales de Montréal.

Nous sommes heureux d'accueillir cette année, pour une quatrième fois, cet important concours. Le choix de Montréal pour la tenue de cette exposition d'envergure confirme l'intérêt que suscitent sur la scène internationale nos régions, nos villes et leurs innombrables atouts.

Affirmons-le avec fierté, peu importe la saison, nos paysages grandioses et l'accueil chaleureux des gens de chez nous attirent bon an mal an des milliers de touristes de partout dans le monde.

En terminant, je souhaite à tous les participants la meilleure des chances dans cette aventure mémorable et beaucoup de plaisir aux visiteurs venus admirer des œuvres exceptionnelles d'art horticole.

Bienvenue chez nous et bonne exposition !

DENIS LEBEL

MINISTRE DES TRANSPORTS, DE L'INFRASTRUCTURE ET DES COLLECTIVITÉS, MINISTRE DE L'AGENCE DE DÉVELOPPEMENT ÉCONOMIQUE DU CANADA POUR LES RÉGIONS DU QUÉBEC ET MINISTRE DES AFFAIRES INTERGOUVERNEMENTALES

MESSAGE FROM THE HONOURABLE DENIS LEBEL

With a Space for Life that features the magnificent Botanical Garden as its centrepiece, Montréal is the perfect place to host an international floral sculpture competition such as Mosaïcultures Internationales®. The city also boasts another monumental advantage: the experience of the Mosaïcultures Internationales de Montréal organization.

We are delighted to welcome this prestigious competition here, once again, for the fourth time. The selection of Montréal as the venue for this wide-scale event confirms the international appeal of our regions and cities, and of the countless attractions they have to offer.

We can say it with pride that, whatever the season, our majestic landscapes and warm hospitality draw thousands of tourists from all corners of the world, year in and year out.

In closing, I would like to wish the best of luck to the participants of this memorable adventure and a pleasant time to the many visitors who have come to admire some truly exceptional works of horticultural art.

Welcome to Montréal, and enjoy the exhibition!

DENIS LEBEL

MINISTER OF TRANSPORT, INFRASTRUCTURE AND COMMUNITIES, MINISTER OF THE ECONOMIC DEVELOPMENT AGENCY OF CANADA FOR THE REGIONS OF QUÉBEC AND MINISTER OF INTERGOVERNMENTAL AFFAIRS

Le gouvernement du Québec est fier de contribuer
à la venue, à Montréal, des meilleurs artistes d'art
ornemental au monde.

**Un rendez-vous spectaculaire,
à ne pas manquer !**

Photo : François Gravel

Secrétariat
à la région
métropolitaine
Québec

Québec 🌸🌸🌸

MESSAGE DU GOUVERNEMENT DU QUÉBEC

Après son passage à Shanghai et à Hamamatsu, et après avoir accueilli près d'un million de visiteurs à Montréal en 2000, la compétition internationale d'œuvres horticoles est de retour dans la métropole.

Créative et audacieuse, la métropole québécoise avait été la première à accueillir cette compétition il y a 13 ans, révélant alors au monde entier son expertise unique en ce domaine. Depuis, les œuvres montréalaises ont remporté respectivement, en Chine et au Japon, le Grand Prix d'honneur du jury international et le Grand Prix du public.

De juin à septembre inclusivement, le Jardin botanique de Montréal abritera les œuvres spectaculaires des plus talentueux artistes d'art horticole au monde. Cette année, c'est avec créativité que ces participants provenant d'une vingtaine de pays devront aborder le thème « Terre d'Espérance : préservation de la biodiversité ».

Le gouvernement du Québec est heureux de soutenir cet événement qui contribue à enrichir l'offre touristique de Montréal et de tout le Québec. Au-delà de sa beauté, cette exposition est un reflet de valeurs qui caractérisent le nouveau millénaire, soit la créativité, l'innovation, l'ouverture sur le monde et le développement durable.

1 JEAN-FRANÇOIS LISÉE
MINISTRE DES RELATIONS INTERNATIONALES,
DE LA FRANCOPHONIE ET DU COMMERCE EXTÉRIEUR
MINISTRE RESPONSABLE DE LA RÉGION DE MONTRÉAL

2 PASCAL BÉRUBÉ
MINISTRE DÉLÉGUÉ AU TOURISME

MESSAGE FROM THE GOVERNMENT OF QUÉBEC

Following a visit to Shanghai and Hamamatsu, and after welcoming close to a million visitors to Montréal in 2000, this international mosaiculture competition is back in our metropolis.

Montréal was the first city to host this competition 13 years ago, displaying both creativity and courage as it revealed its unique expertise to the world. Since then, Montréal artworks have respectively won, in both China and Japan, the international jury's Grand Prize and the People's Choice Award.

From June to September inclusively, the Montréal Botanical Garden will host spectacular works by the most talented horticultural artists from around the world. This year, participants from about 20 countries will respond with creativity to the theme "Land of Hope: Preserving Biodiversity".

The Government of Québec is pleased to support this event, which promotes tourism in Montréal and throughout Québec. In addition to its beauty, this exhibition is an expression of new millennium values: creativity, innovation, openness to the world, and sustainable development.

1 JEAN-FRANÇOIS LISÉE
MINISTER OF INTERNATIONAL RELATIONS,
LA FRANCOPHONIE AND EXTERNAL TRADE
MINISTER RESPONSIBLE FOR THE MONTRÉAL REGION

2 PASCAL BÉRUBÉ
MINISTER FOR TOURISM

Montréal 🍀

MESSAGE
DU MAIRE

Les Montréalais se souviennent avec émerveillement des Mosaïcultures Internationales de Montréal tenues en l'an 2000. Notre ville est fière d'accueillir à nouveau cette compétition exceptionnelle qui nous permettra d'admirer le travail d'artistes horticulteurs d'ici et d'ailleurs. Le Jardin botanique était le lieu tout indiqué pour accueillir cette 5ᵉ édition. Les Montréalais y sont très attachés, et nos visiteurs en connaissent le chemin puisqu'il est l'un des joyaux les plus appréciés de notre métropole. La Ville de Montréal est donc heureuse d'apporter son soutien à cet événement. Voilà pour nous une belle occasion de consolider toujours davantage la réputation de notre ville : une métropole créative, engagée en faveur de la biodiversité. Un grand merci à tous ceux qui ont œuvré au succès des Mosaïcultures Internationales Montréal 2013 — Terre d'Espérance !

LAURENT BLANCHARD
MAIRE DE MONTRÉAL

MESSAGE FROM
THE MAYOR

Montrealers recall with wonderment the 2000 edition of Mosaïcultures Internationales de Montréal. Our city is proud to once again host this exceptional competition which will allow us to admire works created by local and international horticultural artists. The Botanical Garden is the ideal setting for this 5th edition. It is very dear to Montrealers, and visitors are aware of its location since it ranks among our city's most beloved attractions. The City of Montréal is, therefore, delighted to support this event. What a great opportunity to further reinforce Montréal's reputation as a creative metropolis and a city committed to biodiversity! Thanks to all of those who have contributed to the success of Mosaïcultures Internationales Montréal 2013—Land of Hope.

LAURENT BLANCHARD
MAYOR OF MONTRÉAL

MESSAGE DU DIRECTEUR GÉNÉRAL DE QATAR AIRWAYS

Même avant que Qatar Airways ne commence à offrir des vols directs vers Montréal en juin 2011, j'étais bien conscient que cette ville possédait un attrait indéniable. Ayant récemment célébré notre deuxième anniversaire à titre de fournisseur du marché canadien, nous nous sentons pleinement accueillis par les Montréalais et nous sommes ravis de faire partie de ce que cette métropole dynamique a à offrir non seulement à ses résidents, mais également aux visiteurs et aux entreprises.

Qatar Airways est fière d'être l'un des commanditaires des Mosaïcultures Internationales Montréal 2013, un événement qui figure parmi les plus exceptionnels auxquels nous avons eu le plaisir de nous associer. À titre personnel, j'en profite pour féliciter les organisateurs, les bénévoles et les participants venus des quatre coins de la planète pour leurs efforts et leur dévouement extraordinaires dans la mise sur pied d'une exposition de telle envergure.

Je vous invite tous à visiter le Carrefour international Qatar Airways, où vous pourrez en découvrir plus sur les participants aux Mosaïcultures Internationales Montréal 2013 et aussi soumettre votre vote pour le Prix du public.

Au nom de Qatar Airways, je vous souhaite une agréable visite aux Mosaïcultures Internationales Montréal 2013 !

AKBAR AL BAKER
DIRECTEUR GÉNÉRAL
QATAR AIRWAYS

MESSAGE FROM THE CHIEF EXECUTIVE OFFICER, QATAR AIRWAYS

Prior to Qatar Airways launching direct flights to Montréal in June 2011, I always knew that there was something special about this city. As we have just marked our two-year anniversary of flying to Canada, to date, we have been fully welcomed by Montrealers and are delighted to be part of what this vibrant community has to offer not just its residents, but visitors and businesses as well.

Qatar Airways is pleased to be a copresenter of Mosaïcultures Internationales Montréal 2013, one of the most unique events we have been associated with. I would like to personally congratulate the organizing team of Mosaïcultures Internationales Montréal 2013, the volunteers and participants from all over the world, for their outstanding effort and dedication in organizing such an incredible exhibition.

I welcome you all to visit the Qatar Airways International Hub, where you may find out more information on the participants of Mosaïcultures Internationales Montréal 2013 as well as vote for the People's Choice Award.

On behalf of Qatar Airways, I wish you a wonderful visit to Mosaïcultures Internationales Montréal 2013!

AKBAR AL BAKER
CHIEF EXECUTIVE OFFICER
QATAR AIRWAYS

UNE EXPOSITION PLUS GRANDE QUE NATURE

« TERRE D'ESPÉRANCE », C'EST UN HOMMAGE À LA BEAUTÉ ET À LA DIVERSITÉ DE LA VIE SUR LA PLANÈTE AFIN DE SENSIBILISER LES POPULATIONS À PRÉSERVER CETTE RICHESSE DONT ILS DÉPENDENT.

ON DIT DES MOSAÏCULTURES INTERNATIONALES MONTRÉAL 2013 (MIM2013), ET AVEC RAISON, QUE C'EST UN ÉVÉNEMENT PLUS GRAND QUE NATURE.

Bien sûr, les chiffres ne manquent pas d'impressionner : entre 2,5 et 3 millions de plantes savamment agencées, plusieurs tonnes de terre et d'acier, un parcours à couper le souffle long de 2,2 km, 50 œuvres magistrales, 20 pays en compétition et près de 300 artistes horticulteurs et sculpteurs-soudeurs parmi les plus talentueux du monde.

Voilà un dénombrement fort impressionnant, certes. Mais, pour tous les spectateurs émerveillés, l'ampleur de cet événement d'art horticole, bien qu'il soit effectivement le plus important au monde, dépasse largement ses statistiques.

L'envergure de cette exposition vivante réside avant tout dans l'hommage grandiose qu'elle rend à mère Nature, à son incroyable beauté et à la stupéfiante diversité de la vie sur Terre.

C'est d'ailleurs dans un écrin de verdure exceptionnel, au cœur du Jardin botanique de Montréal, que s'épanouit du 22 juin au 29 septembre 2013 cette 5e édition des Mosaïcultures Internationales®.

En foulant la « Terre d'Espérance », les visiteurs découvrent une exposition qui aborde des enjeux environnementaux à l'échelle mondiale. Ce thème porteur, élaboré par le Comité des sages, la direction du Jardin botanique et Jérôme Dupras de la fondation Cowboys fringants, incarne la mission même de MIM2013 : sensibiliser le public à la nécessité de préserver la biodiversité de notre planète. Comment y parvenir ? Grâce à l'émerveillement sans pareil que suscite la beauté de la nature conjuguée à la créativité de l'Homme.

Au cœur de ce ravissement surgissent les trois œuvres phares réalisées par MIM2013 : *l'Arbre aux oiseaux*, *l'Homme qui plantait des arbres* et *Terre Mère*. Touchantes et spectaculaires, elles jalonnent le parcours et, bien qu'elles soient hors compétition, elles contribuent à véhiculer les messages de développement durable chers à l'organisation.

Car, en plus de refléter leur culture, les œuvres des participants illustrent l'un des six axes donnant corps au thème : 1) les espèces et écosystèmes menacés de notre planète ; 2) l'interaction positive entre l'humain et son environnement ; 3) l'interdépendance entre l'humain et la nature ; 4) la beauté et la fragilité de la vie sur la planète ; 5) la nature en ville ; et 6) la paix comme condition essentielle de survie pour la planète. Ils furent développés et nourris par les réflexions de personnalités canadiennes reconnues pour leur engagement en matière d'environnement telles que Frédéric Back, Peter Jacobs, le Dr François Reeves, Karel Mayrand de la fondation David Suzuki et Laure Waridel d'Équiterre.

« Le langage des fleurs est universel. C'est le plus beau moyen de connaître un pays et sa culture, et le meilleur moyen pour passer des messages. »

— LISE CORMIER
FONDATRICE, VICE-PRÉSIDENTE EXÉCUTIVE ET DIRECTRICE GÉNÉRALE DE MOSAÏCULTURES INTERNATIONALES DE MONTRÉAL

De plus, cette année, les organisateurs ont intégré plusieurs pratiques en phase avec le développement durable, et ce, à tous les niveaux de l'événement. Celles-ci lui ont valu la certification écoresponsable, laquelle répond aux exigences du Bureau de normalisation du Québec (BNQ). « Terre d'Espérance » est le plus important événement écoresponsable depuis la création de la norme.

Cette exposition unique, aux sculptures végétales et évolutives, constitue également la plus prestigieuse des compétitions internationales du genre, où se mesurent et se surpassent les géants de l'art horticole. Les concurrents venus d'Europe, d'Asie, d'Afrique, du Moyen-Orient et des Amériques rivalisent d'ingéniosité en vue de décrocher l'un des deux grands prix, soit le Grand Prix d'honneur du jury international et le Grand Prix du public Qatar Airways.

Se déroulant tous les trois ans dans différentes villes du monde, les Mosaïcultures Internationales® sont produites par le Comité International de Mosaïculture (CIM), lequel fut mis sur pied dès sa première édition en l'an 2000. Peu de temps avant le nouveau millénaire, madame Lise Cormier, architecte paysagiste à la Ville de Montréal, était en visite à Harbin, en Chine, lorsqu'elle est tombée sous le charme d'une œuvre d'art horticole représentant trois colombes d'une douzaine de mètres de hauteur. C'est à ce moment-là que lui est venue l'idée de concevoir une compétition mondiale de mosaïcultures. Depuis, les Mosaïcultures Internationales® tenues à Montréal (2000, 2003), à Shanghai, en Chine (2006), et à Hamamatsu, au Japon (2009), ont attiré plus de cinq millions de visiteurs, en plus d'accueillir les participants d'environ 40 pays, de centaines de villes et de nombreux organismes.

A LARGER-THAN-LIFE EXHIBITION

"LAND OF HOPE" IS A TRIBUTE TO THE BEAUTY AND DIVERSITY OF LIFE ON EARTH, AND SEEKS TO RAISE PEOPLE'S AWARENESS OF THE IMPORTANCE OF PRESERVING THIS NATURAL WEALTH ON WHICH WE ALL DEPEND.

SOME SAY THAT MOSAÏCULTURES INTERNATIONALES MONTRÉAL 2013 (MIM2013) IS A LARGER-THAN-LIFE EVENT, AND WITH GOOD REASON.

The numbers are impressive, to be sure: between 2.5 and 3 million plants skillfully arranged, several tons of steel and soil, a breathtaking 2.2-kilometre trail, 50 masterful works, 20 countries competing and close to 300 horticultural artists and sculptor-welders from among the world's best. It is the world's biggest horticultural event of its type.

For the enthralled visitors, however, the event resonates because of something beyond such statistics.

The impact of this living exhibition lies first and foremost in the magnificent tribute it pays to Mother Nature, her incredible beauty and the awe-inspiring diversity of life on Earth.

Fittingly, it is in the exceptionally verdant setting of the Montréal Botanical Garden that this 5th edition of the Mosaïcultures Internationales® blossoms from June 22 to September 29, 2013.

The "Land of Hope" exhibition tackles global environmental issues. This central theme, established by the Council of Sages, the Botanical Garden management team and Jérôme Dupras of the Fondation Cowboys fringants, embodies MIM2013's core mission: to make the public more aware of the need to preserve biodiversity on our planet. And the most effective way to accomplish this is through the artful blending of man's creative flair with the marvel that the beauty of nature can inspire like no other.

At the heart of this wonder, the trail features three masterpieces created by MIM2013: *The Bird Tree*, *The Man Who Planted Trees* and *Mother Earth*. Stunningly spectacular, these works, though presented out of competition, help convey the message of sustainable development dear to the MIM organizers.

In addition to reflecting the respective cultures of the participants, all works illustrate one of the six subthemes that flesh out the main theme: 1) the endangered species and ecosystems of our planet; 2) the positive interaction between man and his environment; 3) the interdependence of man and nature; 4) the beauty and fragility of life on Earth;

5) nature in the urban fabric; and 6) peace as a sine qua non for our planet's survival. The subthemes were informed by the work of prominent Canadians known for their commitment to environmental issues, among them Frédéric Back, Peter Jacobs, Dr. François Reeves, Karel Mayrand from the David Suzuki Foundation, and Laure Waridel, cofounder of Equiterre.

"The language of flowers is a universal one. It is the nicest way to discover a country and its culture. And the best way to convey a message is to say it with flowers."

— LISE CORMIER
  FOUNDER, EXECUTIVE VICE-PRESIDENT AND CEO OF
  MOSAÏCULTURES INTERNATIONALES DE MONTRÉAL

As well this year, the organizers have introduced a number of practices aligned with sustainable development, at all levels of the event. As a result, MIM2013 has been certified an ecoresponsible event by the Bureau de normalisation du Québec. Indeed, "Land of Hope" is the largest ecoresponsible event in Québec since the standard has been in place.

This unique exhibition, with its evolving plant sculptures, is also one of the most prestigious international competitions of its kind, an opportunity for master horticulturists to size one another up and outdo themselves. Competitors from Europe, Asia, Africa, the Middle East and the Americas rival in inventiveness as they vie for one of the two grand prizes, the Grand Honorary Award handed out by the international jury and the Qatar Airways People's Choice Award.

Held every three years in host cities around the globe, the Mosaïcultures Internationales® are produced by the International Mosaiculture Committee, a body established for the very first edition in 2000. Just before the turn of the millennium, Ms. Lise Cormier, a landscape architect for the City of Montréal, had visited Harbin, China, where she fell under the spell of a 12-metre-tall horticultural art piece representing three doves. That is the precise moment the idea of holding an international mosaiculture competition came to her. Since then, the Mosaïcultures Internationales® have been held in Montréal twice (in 2000 and 2003), in Shanghai, China (2006), and Hamamatsu, Japan (2009), attracting over five million visitors and participants hailing from some 40 countries, hundreds of cities and numerous organizations.

DISTINGUÉS INVITÉS, MESDAMES ET MESSIEURS,

Mosaïcultures Internationales de Montréal apportent en 2013 au Jardin botanique les réalisations d'œuvres majestueuses! Grâce à l'esprit créatif et à la diplomatie déployés par Lise Cormier, ambassadrice des Mosaïcultures, et aux talents des sculpteurs, horticulteurs, botanistes et bénévoles, le thème fondamental illustré ici est « Terre d'Espérance » : la protection de la biodiversité dans notre monde menacé par la surexploitation des richesses naturelles et la disparition des espèces animales et végétales qui nous accompagnent. L'exposition nous transporte autour de la terre par des œuvres remarquables, vivantes, florissantes, où la beauté et les messages font corps pour nous émouvoir! Ces réalisations, présentées dans un cadre splendide par Mosaïcultures Internationales Montréal 2013, constituent un véhicule de sensibilisation qui doit toucher votre esprit et votre cœur pour toujours!

Il faudra revenir ici au cours de l'été pour voir toutes ces merveilles florales s'épanouir. Emmenez vos enfants et vos amis!

La présence de l'Homme qui plantait des arbres est un immense bonheur pour moi, car il est le symbole de notre pouvoir de réparer les erreurs, de travailler pour l'avenir afin que cette planète reste la merveille où il y a tant de choses à admirer et à découvrir.

Merci.

FRÉDÉRIC BACK

DISTINGUISHED GUESTS, LADIES AND GENTLEMEN,

Mosaïcultures Internationales Montréal 2013 brings to the Botanical Garden truly majestic works! Thanks to the creativity and tact of Lise Cormier, the exhibition's ambassador, and the talent of numerous sculptors, horticulturists, botanists and volunteers, the Mosaïcultures team has successfully encapsulated the event's core theme, "Land of hope": the protection of biodiversity in a world threatened by the overexploitation of its natural resources and the extinction of animal and plant species who share the planet with us. The exhibition takes us on a journey around the globe through its array of remarkable, living, blossoming works whose beauty and message unite to move us! Presented in a superb setting, these works serve as a vehicle for building an awareness that should stay within your heart and soul for the rest of your life!

You'll have to come back for a visit during the summer to see all these floral treasures bloom. Bring along your children and friends!

The presence of The Man Who Planted Trees is a source of immense joy for me, for he symbolizes our power to repair past errors and to work toward the future so that this planet remains a source of bountiful wonderment and discovery.

Thank you.

FRÉDÉRIC BACK

NATURE URBAINE

La ville est un écosystème créé pour servir d'habitat à l'homme. Patrimoine hérité de nos ancêtres et destiné à nos enfants, elle reflète notre capacité à concevoir, à ériger et à gérer un environnement à la fois sain et cohérent, au service de l'expression créative de nos rêves et aspirations.

Nos villes subsisteront tant que des réserves et une gestion durable des ressources naturelles nécessaires à leur entretien seront disponibles. De l'eau fraîche, de l'air pur, une variété de faune et de flore ainsi qu'une grande diversité de sources d'énergie sont des conditions indispensables à la perduration des environnements urbains. La façon dont nous intégrons ces ressources à l'infrastructure de la vie urbaine dans nos maisons, le long des rues, dans les parcs ou cours de récréation ou dans nos lieux de travail exprime notre intérêt et notre engagement auprès de communautés saines.

L'exposition Mosaïcultures Internationales Montréal 2013 (MIM2013) propose aux visiteurs des formes innovantes de nature urbaine. Cette exposition propose entre autres des murs végétaux et des toits végétaux urbains, pour n'en citer que deux. L'ensemble du site expose sous différentes formes les systèmes d'irrigation économes qui alimentent la variété de flore capable de s'adapter au monde urbain, ainsi que le potentiel élevé de l'agriculture urbaine. Mais MIM2013 va au-delà de la science et de la gestion des ressources naturelles pour comprendre l'esthétique des plantes et leurs multiples façons d'être utilisées dans différentes cultures afin de représenter l'histoire, l'art et les histoires de la ville et de sa population.

C'est dans la ville que sont rassemblées mémoire collective et grandes réussites de notre peuple civilisé. La ville est l'expression de l'unique écosystème que nous avons contribué à créer, un amalgame où nature et construction dépendent l'une de l'autre. Cette création est une contribution des plus uniques de notre espèce. Transmis aux générations futures, cet héritage leur permettra de juger leurs ancêtres. Notre vaste collection des expositions de mosaïculture stimule réellement l'imagination et révèle le potentiel considérable que détient la nature pour influer sur la ville.

PETER JACOBS

URBAN NATURE

The city is an ecosystem designed for human habitation, an inheritance from our ancestors and a legacy for our children. It is a mirror of our ability to design, build, and manage an environment that is healthy and whole and that serves as a creative expression of our aspirations and our dreams.

Our cities are only as viable as the provision and sustainable management of the natural resources necessary to support their structure and form. Fresh water, clean air, a diversity of plants and animals, and a wide palette of energy sources are the sine qua non of viable urban environments. How these resources are integrated into the infrastructure of urban life in our homes, along our streets, and in our parks, schoolyards, and places of work reflects our concern for and commitment to healthy communities.

Mosaïcultures Internationales Montréal 2013 (MIM2013) offers the visitor a number of innovative forms of nature in the city. Green urban walls and roofs are but two of these expressions found within the exhibition. The frugal use of water to irrigate the diversity of plant life that can be adapted to the urban environment and the vast potential of urban agriculture are all on display, in one form or another, throughout the site. But MIM2013 extends well beyond the science and management of the natural resources to embrace the aesthetics of plants and the variety and diversity of how plants are used in different cultures to represent the history, art, and stories of the city and those that live within them.

The city contains the collective memory of our highest achievements as a civilized people. It is the expression of the only ecosystem that we have helped to create, an interdependent amalgam of nature and built form. It is one of the most unique contributions of our species and the creation against which future generations will judge our legacy. One of the critical contributions provided within this diverse collection of mosaiculture exhibits is the extent to which it stimulates our imagination and sensitizes us to the critical potential that nature can play in supporting the city.

PETER JACOBS

LA TOILE DE LA VIE SUR LA TERRE

L'être humain fait partie des 30 millions d'espèces qui composent la grande toile de la vie sur Terre. Au sein de cette grande toile du vivant, nous sommes tous interreliés et interdépendants. Des insectes microscopiques jusqu'aux pandas géants, du plancton aux baleines bleues, la vie brille partout sur notre planète, véritable miracle à l'échelle du cosmos.

Notre Terre mère nous procure l'eau, l'air, les sols, le climat et les autres systèmes naturels qui supportent cette extraordinaire diversité du vivant. C'est elle qui nous a mis au monde il y a 150 000 ans. Pendant plus de 100 000 ans, nous avons erré, chassant et cueillant comme les autres espèces. Puis, il y a 20 000 ans, nous avons inventé l'agriculture et fondé les premières civilisations. Il y a 200 ans à peine, nous avons amorcé notre industrialisation et avons atteint une domination complète de la biosphère.

Nous sommes aujourd'hui l'espèce de mammifères la plus nombreuse sur Terre, une seule espèce qui accapare pourtant la grande majorité des ressources de la planète. Nous érodons peu à peu cette diversité du vivant qui nous a permis de voir le jour et avons déclenché la sixième extinction massive des espèces sur Terre, un effondrement de la biosphère inédit depuis la disparition des dinosaures. Ce faisant, c'est le risque de notre propre disparition que nous prenons. Si nous ne sommes qu'une espèce parmi 30 millions, nous avons en revanche une responsabilité unique : celle d'assurer la protection de la grande chaîne du vivant.

L'exposition « Terre d'Espérance » constitue en ce sens une occasion unique de réfléchir sur la beauté, la fragilité et l'interdépendance de la vie. Si notre Terre mère nous a mis au monde, c'est à nous maintenant de la préserver, de l'aimer comme nous aimons tous notre mère. Notre Terre mère est riche et généreuse. Elle nous le rendra au centuple.

KAREL MAYRAND

THE WEB OF LIFE ON EARTH

The human being is one of 30 million species that make up the great web of life on Earth. We are all interconnected and interdependent in this web of life. From microscopic insects to giant pandas, from plankton to blue whales, life shines everywhere on our planet, a true miracle across the universe.

Water, air, soil, climate and other natural systems supporting this extraordinary diversity of life are provided by our Mother Earth. It was she who brought us into the world 150,000 years ago. For more than 100,000 years, we wandered, hunted and gathered like the other species. Then, 20,000 years ago, we domesticated agriculture and founded the first civilizations. Some 200 years ago, we began the industrialization process and achieved complete domination of the biosphere.

Man is now the most populous mammal species on Earth, a species single-handedly accounting for the use of the vast majority of the planet's resources. We are gradually eroding the very biodiversity which brought us into being, and have caused the sixth-largest mass extinction of species on Earth, an unprecedented collapse of the biosphere not seen since the extinction of the dinosaurs. Through our recklessness, we risk our own demise. We are but one species among 30 million, but we are now faced with a responsibility that is entirely ours: protecting the great chain of life.

In this sense, the "Land of Hope" exhibition is a unique opportunity to reflect on the beauty, fragility and interdependence of life. Since Mother Earth gave us life, it is up to us to preserve it, and we need to cherish her as we would our human mothers. For Mother Earth is rich and generous, and she will reward us a hundredfold.

KAREL MAYRAND

LE CANADA, PAYS DE PLUSIEURS DIZAINES DE NATIONS

Le Canada a été et continue d'être le pays de plusieurs dizaines de nations qui l'ont sillonné du sud au nord, d'est en ouest, en ont nommé tous les cours d'eau, les montagnes, les saisons. Elles ont entretenu une relation étroite et privilégiée avec toutes les espèces animales, végétales, minérales avec lesquelles elles cohabitaient et ont entretenu une relation d'interdépendance, dans le respect mutuel. Aucune de ces espèces n'appartient à une autre.

Il y a une vingtaine d'années, tandis que je voyageais avec un aîné innu, il me dit en regardant les paysages à perte de vue : « Le Créateur devait avoir une grande confiance en nous, Premières Nations, pour nous avoir confié la garde de cette richesse, pendant ces milliers d'années. Regarde ce qu'ils en ont fait en à peine quelques siècles. »

La culture permet l'expression libre des valeurs. Par les Mosaïcultures, celles des Premières Nations ont trouvé une inspiration et un accomplissement uniques. Nous sommes fiers de contribuer à cet événement d'ampleur internationale pour illustrer et démontrer notre attachement envers une forme d'art qui utilise et transforme nos ressources naturelles, si chères à nos peuples, pour en faire des créations impressionnantes et inspirantes. Il s'agit là d'une expression positive et créative de notre passé, de notre présent et de notre avenir. Le côté mystique de nos cultures est véritablement représenté par une œuvre d'art magistrale qui pourra, telle une légende racontée par les Anciens, laisser courir l'imagination des milliers de visiteurs qui se présenteront cette année aux portes des Mosaïcultures.

En ce sens, l'Assemblée des Premières Nations du Québec et du Labrador est fière de participer à une expression culturelle originale qui connaît un succès planétaire. Bonne visite !

GHISLAIN PICARD
CHEF DE L'ASSEMBLÉE DES PREMIÈRES NATIONS DU QUÉBEC
ET DU LABRADOR (APNQL)

CANADA, THE COUNTRY OF SEVERAL DOZEN NATIONS

Canada has been and continues to be a country of several dozen nations that have travelled the length and breadth of its territory and named all its bodies of water, its mountains and seasons. These nations had a close, privileged relationship with all the animal, vegetable and mineral species with which they cohabitated, one of interdependence marked by mutual respect. For none belongs to the other.

I was travelling with an Innu elder some twenty years ago, and as we looked out at the landscape stretched as far as our eyes could see, he said to me: "The Creator surely had tremendous trust in us, the First Nations, to have made us the custodians of this great wealth for thousands of years. Look what they've done to it within just a few hundred years."

Culture gives free expression to the values of human beings, and the Mosaïcultures provide a unique vehicle for those of the First Nations to find inspiration and fulfillment. We are proud to contribute to this international event because it affords us an opportunity to convey our attachment to an art form that uses and transforms our natural resources, so dear to our peoples, into impressive, inspiring and masterful creations: genuinely positive, artistic expressions of our past, our present and our future. The mystical aspect of our cultures is accurately rendered by a masterpiece that—in much the same way as a legend told by our ancestors—allows the imagination of the thousands of visitors expected this year at the Mosaïcultures to roam.

In this respect, the Assembly of First Nations of Québec and Labrador is proud to participate in an original cultural expression that has met with success throughout the world. Enjoy your visit!

GHISLAIN PICARD
CHIEF OF THE ASSEMBLY OF FIRST NATIONS
OF QUÉBEC AND LABRADOR (AFNQL)

CŒUR DE L'ARBRE ;
ARBRE DE CŒUR

L'Arbre est le frère de l'Humain, tant physiologique que philosophique. Il suffit de suivre notre généalogie. Nous sommes constitués à 70 % d'eau et, surtout, à 90 % d'oxygène. Cet oxygène, vital au cœur et au cerveau, aux émotions et à la pensée, provient de deux géants bienveillants, les bleus et les verts.

Les étoiles géantes bleues fabriquent l'oxygène par nucléosynthèse, d'où leur couleur bleue, spectre de l'oxygène. Puis interviennent les géants verts : le végétal, de l'algue aux grands séquoias, a transformé le CO_2 de l'atmosphère primitive pour le saturer d'oxygène. L'oxygène a permis l'apparition du règne animal il y a 600 millions d'années et à terme l'Humain.

La parenté Arbre-Humain est toujours inscrite dans nos cellules. La verte chlorophylle et la rouge hémoglobine sont jumelles, ont la même structure moléculaire. On trouve au centre de la chlorophylle un atome de magnésium, vert, et au centre de l'hémoglobine, un atome de fer, rouge. Depuis un demi-milliard d'années, ces deux jumelles s'échangent O_2 et CO_2.

La connivence Arbre-Humain est partout. Du bien-être psychologique jusqu'à la santé cardiovasculaire, des milliers d'études démontrent sa forte influence positive. L'Arbre est l'allié du cardiologue : il produit l'oxygène ; c'est un grand dépollueur qui assainit notre air des émanations toxiques des combustibles fossiles qui assaillent notre système cardiovasculaire. Les Japonais appellent Shinrin-Yoku le « bain d'arbres », une mesure de santé publique. Des centaines de protéines émises par les arbres diminuent nos hormones de stress, notre rythme cardiaque et notre pression artérielle. Elles améliorent notre système immunitaire et notre système nerveux autonome.

Vivre en milieu vert diminue la mortalité globale et diminue de moitié la différence de mortalité cardiaque observée entre pauvres et riches. Il y a moins de mortalité cardiovasculaire, par dizaines de milliers, dans les milieux verts.

L'Arbre protège le Cœur. Retrouvons aux Mosaïcultures l'interface de la botanique et de l'art, de la fleur et de la pensée, de la beauté et de la santé.

FRANÇOIS REEVES

HEART OF THE TREE—
TREE HEART

Trees are Humans' physiological and philosophical brothers. Just think about our genealogy. We consist of 70% water and, most importantly, 90% oxygen. This oxygen, so vital to the heart and brain, to emotions and thought, comes from two benevolent giants, one blue, the other green.

Blue giant stars produce oxygen through nucleosynthesis, which accounts for their blue colour, the spectral signature of oxygen. Green giants come from the plant kingdom: everything from minute algae to the towering sequoia has transformed CO_2 from the primeval atmosphere to saturate it with oxygen. That made way for the emergence of the animal kingdom some 600 million years ago, and ultimately, humans.

The Tree-Human relationship is still written in our cells. Green chlorophyll and red hemoglobin are twins, with the same molecular structure. The core of chlorophyll contains a magnesium atom, green, and the centre of hemoglobin has an iron atom, red. For the past half-billion years, these twins have been exchanging O_2 and CO_2.

The Tree-Human symbiosis is everywhere. From psychological well-being to cardiovascular health, thousands of studies have proven its strong positive influence. Trees are the cardiologist's allies: they produce oxygen, filter pollution and clear our air of the toxic emissions from fossil fuels that attack our cardiovascular system. The Japanese practice a public health measure known as Shinrin-Yoku, "forest bathing"—a walk in the woods. Hundreds of proteins emitted by trees lower our stress hormones, our heart rate and our blood pressure, while boosting our immune system and strengthening our autonomic nervous system.

Living in a green environment reduces global mortality and halves the statistical disparity in cardiac mortality between poor and rich. In green environments, cardiovascular mortality drops by tens of thousands.

Trees protect the Heart. Mosaïcultures reflects the interface between the botanical and the artistic, between flower and thought, between beauty and health.

FRANÇOIS REEVES

ÉCOCITOYENNETÉ

« Être le changement que nous voulons voir dans le monde. »
— GANDHI

Notre petite planète bleue est bien malade. Chaque semaine, de nouvelles études scientifiques nous rappellent que le climat change, que la biodiversité s'érode et que la contamination chimique nuit à notre santé et à notre bien-être. Tout comme l'augmentation des inégalités d'ailleurs.

Face à ces mauvaises nouvelles, il y a de quoi avoir envie de se mettre la tête dans le sable. Pourtant, nous avons tous le pouvoir d'agir, et l'engagement contribue au bonheur. Voilà qui a de quoi nous inciter à l'action !

Chacun de nos gestes, individuels et collectifs, a un impact sur la planète et ses habitants. Tout est lié. Nous sommes l'air que nous respirons, l'eau que nous buvons et la nourriture que nous mangeons. Nous sommes aussi le résultat de relations sociales et affectives. Nous avons donc tous une influence beaucoup plus grande que l'on serait porté à croire. Un événement comme les Mosaïcultures nous invite à prendre acte de ces liens qui nous unissent d'un bout à l'autre de la planète.

De tout temps, les grands changements ont été provoqués par des individus qui ont uni leurs efforts autour d'une idée, souvent d'un rêve. Ces citoyens sont passés à l'action : un geste à la fois. Pourquoi ne pas en faire autant, maintenant, pour un véritable développement durable ?

S'impliquer au sein d'initiatives qui contribuent à la construction d'un monde plus écologique et plus équitable ; réduire notre consommation ; faire pression sur les entreprises et les élus afin qu'ils modifient leurs pratiques et la réglementation ; éviter le gaspillage ; acheter d'entreprises d'économie sociale et écologique ; consommer moins de viande ; choisir des produits locaux, biologiques, écologiques et équitables ; réduire notre consommation d'énergie ; investir intelligemment ; consommer moins d'énergie ; et payer notre juste part d'impôt sont autant de petits gestes qui multipliés les uns aux autres provoquent de grands changements.

LAURE WARIDEL
ÉCOSOCIOLOGUE, AUTEURE ET COFONDATRICE D'ÉQUITERRE

ECOCITIZENSHIP

"Be the change you wish to see in the world."
— GANDHI

Our little blue planet is ill. Each week brings its share of new scientific studies reminding us that Earth's climate is changing, that biodiversity is diminishing and that chemical contamination is sapping our health and well-being. Just as the widening of the inequality gap is, for that matter.

All this doom and gloom is enough to make one want to hide one's head in the sand. Yet each one of us can do something positive, and being involved contributes to one's happiness. That should encourage us to take action!

Each of our actions, whether taken individually or collectively, has an impact on the planet and its inhabitants, for everything is interdependent. We are the air we breathe, the water we drink, the food we eat. We are also the product of the social interactions and personal relationships we cultivate. Therefore, every single one of us has an influence that is much greater than we tend to believe. An event such as the Mosaïcultures affords us an opportunity to take notice of the ties that bind us all as humans.

Throughout history, great transformations have been wrought by individuals working together to advance an idea, and often a dream. These citizens showed initiative, one baby step at a time. Why not do the same, now, to achieve genuinely sustainable development?

Getting involved in efforts that help build an eco-friendlier, fairer world; consuming less; putting pressure on companies to change their practices and on elected officials to amend existing legislation; not being wasteful; buying from socially and ecologically focused businesses; eating less meat and choosing products that are locally produced, organic, eco-friendly and fair-trade; reducing our energy consumption and making sound investments; and paying our fair share of taxes: all are small gestures that, when aggregated across society as a whole, lead to great transformations.

LAURE WARIDEL
ECOSOCIOLOGIST, AUTHOR AND COFOUNDER OF EQUITERRE

PIÈCE FIGURANT DANS *NATURE EN VILLE*
WORK FEATURED IN NATURE IN THE CITY

LE JARDIN BOTANIQUE DE MONTRÉAL

Espace pour la vie regroupe sur un même site le Jardin botanique, le Biodôme, l'Insectarium et le Planétarium Rio Tinto Alcan. Ces quatre institutions prestigieuses forment le plus important complexe muséal en sciences de la nature au Canada et constituent l'un des lieux touristiques les plus populaires de la métropole et du Québec.

Fondé en 1931 par le frère Marie-Victorin, un botaniste émérite, le Jardin botanique a été dessiné par l'architecte, paysagiste et botaniste Henry Teuscher. Il a été reconnu lieu national historique du Canada notamment en raison du rôle majeur qu'il a joué dans le développement des sciences botaniques au pays.

Le Jardin botanique de Montréal est aussi l'un des plus importants au monde avec une collection de 22 000 espèces et cultivars, dix serres d'exposition, une trentaine de jardins thématiques répartis sur 75 hectares, ainsi qu'un arboretum et la Maison de l'arbre. Ses jardins culturels, véritables havres de paix et de beauté au cœur de la métropole, participent à sa renommée. Son Jardin de Chine, tout en raffinement et inspiré des jardins privés de l'époque Ming, est le plus grand du genre à l'extérieur de l'Asie ; son Jardin japonais surprend par sa délicate et complexe harmonie ; et son Jardin des Premières Nations est un hommage au savoir et au savoir-faire ancestraux des premiers peuples d'Amérique.

Une programmation haute en couleur et très variée conjugue événements, expositions et animations afin de faire connaître et aimer notre remarquable biodiversité. Parmi les activités les plus populaires, mentionnons l'événement Jardins de lumière, une féérique mise en lumière qui éblouit des milliers de visiteurs chaque automne, ou encore Papillons en liberté — une initiative de l'Insectarium de Montréal — où le public côtoie le monde étonnant des lépidoptères d'ici et d'ailleurs.

Depuis plus de 80 ans, le Jardin botanique évolue dans le plus grand respect de la démarche scientifique initiée par son fondateur. Ses chercheurs sont des scientifiques passionnés qui, en plus d'effectuer des travaux sur la biodiversité, travaillent aussi au développement de différentes techniques pour sa préservation. Leurs découvertes contribuent concrètement à la protection de la biodiversité en permettant de réduire la pollution, ou encore de rétablir une espèce menacée dans son habitat d'origine. Ce profond engagement dans le développement et la diffusion des connaissances et dans leur utilisation pour la conservation et la mise en valeur de notre environnement a assuré au Jardin botanique une reconnaissance mondiale.

Par sa solide renommée, sa grande popularité et son rayonnement tant à l'échelle nationale qu'internationale, le Jardin botanique fait la fierté de tous les Montréalais. Depuis sa création, le Jardin botanique a activement contribué au développement et au rayonnement culturel de Montréal partout dans le monde. Par son expertise et son dévouement, il est un chef de file dans la collectivité locale et dans la communauté internationale.

THE MONTRÉAL BOTANICAL GARDEN

Montréal Space for Life combines the Botanical Garden, Biodôme, Insectarium and Rio Tinto Alcan Planetarium on one site. Together, these four prestigious institutions form Canada's largest natural science museum complex and one of the most popular tourist attractions in Montréal and all of Québec.

The Botanical Garden was founded in 1931 by Brother Marie-Victorin, a highly regarded botanist, and designed by landscape architect and botanist Henry Teuscher. It has been recognized as a National Historic Site of Canada, in part because of its major role in advancing the botanical sciences.

The Montréal Botanical Garden is also one of the world's largest. Its 75-hectare site boasts a collection of 22,000 plant species and cultivars, ten exhibition greenhouses, some thirty thematic gardens, an arboretum and the Tree House. Its cultural gardens, oases of peace and beauty in the heart of the bustling city, also contribute to its popularity. The wonderfully refined Chinese Garden, inspired by private Ming dynasty gardens, is the largest of its kind outside Asia. The Japanese Garden charms visitors with its delicate and complex harmony. And the First Nations Garden salutes the ancestral knowledge and know-how of the first peoples of North America.

A colourful and highly varied line-up of special events, exhibitions and activities is designed to make visitors aware of our remarkable biodiversity and to underscore its importance. Two of the most popular events are Gardens of Light, an enchanting display that dazzles thousands of visitors every fall, and Butterflies Go Free, an initiative of the Montréal Insectarium that introduces the public to the astonishing world of butterflies and moths from near and far.

For over 80 years now, the Botanical Garden has been growing and evolving in line with the scientific approach envisaged by its founder. Its committed researchers are studying biodiversity and developing different techniques to preserve it, making discoveries that help to reduce pollution and reintroduce threatened species into their original habitats. Their dedication to expanding and sharing knowledge and applying it to protect and celebrate our environment has earned the Montréal Botanical Garden worldwide acclaim.

Thanks to its enviable reputation, great popularity and national and international status, the Botanical Garden is a source of pride for all Montrealers. From the outset, the Garden has actively contributed to Montréal's cultural development and renown worldwide. Its expertise and commitment have made it a leader both here at home and around the globe.

CORPORATION MOSAÏCULTURES INTERNATIONALES DE MONTRÉAL

La corporation sans but lucratif Mosaïcultures Internationales de Montréal (MIM) a été créée en 1998 pour mettre sur pied la toute première édition des Mosaïcultures Internationales®, au parc des Éclusiers du Vieux-Port de Montréal, et ce, en collaboration avec le Service des Parcs, Jardins et Espaces verts de la Ville de Montréal. Sa mission est de promouvoir l'art des jardins et l'horticulture comme une expression des valeurs du nouveau millénaire et une composante du paysage urbain. L'organisation a représenté la Ville de Montréal aux Mosaïcultures Internationales® de Shanghai en 2006 et de Hamamatsu en 2009. Ses œuvres ont remporté, dans les deux cas, le Grand Prix d'honneur du jury international et le Grand Prix du public. MIM a représenté la Ville de Montréal lors de la 9e édition de la China International Garden Expo à Beijing au printemps 2013, et a créé 19 œuvres pour le Jardin botanique d'Atlanta dans le cadre d'*Imaginary World*, la première exposition de mosaïcultures jamais présentée aux États-Unis.

MOSAÏCULTURES INTERNATIONALES DE MONTRÉAL CORPORATION

Mosaïcultures Internationales de Montréal (MIM) is a not-for-profit corporation founded in 1998 to launch the very first edition of the Mosaïcultures Internationales®, held at the Parc des Éclusiers in Montréal's Old Port, in association with the city's Department of Parks, Gardens and Green Spaces. Its mission is to promote the art of gardening and horticulture as an expression of new millennium values and as a vital component of the urban landscape. MIM represented Montréal at the Mosaïcultures Internationales® Shanghai (2006) and Hamamatsu (2009), winning both the Grand Honorary Award handed out by the international jury and the People's Choice Award at each event. MIM also represented Montréal at the 9th China International Garden Expo in Beijing in the spring of 2013, and created 19 works for the Atlanta Botanical Garden as part of *Imaginary World*, the first mosaiculture exhibition ever held in the United States.

CONSEIL D'ADMINISTRATION
BOARD OF DIRECTORS

PRÉSIDENT DU CONSEIL D'ADMINISTRATION
CHAIRMAN OF THE BOARD

Louis L. Roquet
CHEF DE LA DIRECTION | CEO
CEVITAL

VICE-PRÉSIDENT | VICE-PRESIDENT

Bernard Lamarre
PRÉSIDENT DU CONSEIL D'ADMINISTRATION
CHAIRMAN OF THE BOARD
ÉCOLE POLYTECHNIQUE DE MONTRÉAL

VICE-PRÉSIDENTE EXÉCUTIVE ET DIRECTRICE
GÉNÉRALE | EXECUTIVE VICE-PRESIDENT AND CEO

Lise Cormier

SECRÉTAIRE | SECRETARY

Mark E. Turcot
AVOCAT | LAWYER

TRÉSORIER | TREASURER

Michel Hébert, FCA, IAS.A
ADMINISTRATEUR ET CONSULTANT
ADMINISTRATOR AND CONSULTANT

AUTRES ADMINISTRATEURS
OTHER ADMINISTRATORS

Pierre Bibeau
PREMIER VICE-PRÉSIDENT DE GROUPE
SENIOR CORPORATE VICE-PRESIDENT
COMMUNICATIONS ET AFFAIRES PUBLIQUES
COMMUNICATIONS AND PUBLIC AFFAIRS
LOTO-QUÉBEC

Marc Campagna
VICE-PRÉSIDENT DU COMITÉ DIRECTEUR
VICE-CHAIRMAN OF THE EXECUTIVE COMMITTEE
VILLE DE TERREBONNE

Helen Fotopulos
MEMBRE DU COMITÉ DIRECTEUR
MEMBER OF THE EXECUTIVE COMMITTEE
VILLE DE MONTRÉAL

L'hon. Liza Frulla, C.P. | The Hon. Liza Frulla, P.C.
ANALYSTE POLITIQUE ET MÉDIA
POLITICAL AND MEDIA ANALYST
SOCIÉTÉ CBC/RADIO-CANADA, ARTV

Réal Lavallée
CONSULTANT EN GESTION FINANCIÈRE
FINANCIAL MANAGEMENT CONSULTANT

Ginette Marotte
CONSEILLÈRE MUNICIPALE
MUNICIPAL COUNCILLOR
DISTRICT CHAMPLAIN–ÎLE-DES-SŒURS
CHAMPLAIN–ÎLE-DES-SŒURS DISTRICT
VILLE DE MONTRÉAL

Yvette Petibois-Paillé
CONSULTANTE EN HORTICULTURE | HORTICULTURE CONSULTANT

COMITÉ INTERNATIONAL DE MOSAÏCULTURE

Les Mosaïcultures Internationales® relèvent du Comité International de Mosaïculture créé lors de la première édition de l'an 2000 tenue à Montréal (MIM2000). Sa mission est de favoriser le développement et l'innovation en mosaïculture ; d'encadrer les compétitions dans le cadre d'événements internationaux, nationaux et locaux ; et de permettre le rayonnement de l'art des jardins en encourageant les échanges professionnels et amicaux entre les intervenants intéressés par la mosaïculture.

INTERNATIONAL MOSAICULTURE COMMITTEE

The Mosaïcultures Internationales® fall within the purview of the International Mosaiculture Committee, a body created for the first-ever edition of the event, held in Montréal in 2000 (MIM2000). The Committee's mission is to promote growth and innovation within the field of mosaiculture; to oversee competitions held within the framework of international, national and local events; and to help the gardener's art flourish by fostering friendly dialogue between mosaiculture professionals, enthusiasts and other interested parties.

COMPOSITION DU COMITÉ INTERNATIONAL
COMPOSITION OF THE INTERNATIONAL COMMITTEE

PRÉSIDENTE | PRESIDENT

LISE CORMIER
CANADA

VICE-PRÉSIDENT — ASIE | VICE-PRESIDENT — ASIA

HU YUN HUA
CHINE | CHINA

VICE-PRÉSIDENT — EUROPE | VICE-PRESIDENT — EUROPE

JANIC GOURLET
FRANCE

TRÉSORIER | TREASURER

Dr JOHN C. PETERSON
ÉTATS-UNIS | UNITED STATES

ADMINISTRATEURS | ADMINISTRATORS

PAUL-FRANCQ GENIQUE
BELGIQUE | BELGIUM

ROGER BEER
SUISSE | SWITZERLAND

Dr ETTORE ZAULI
ITALIE | ITALY

ALEXIOS VARDAKIS
GRÈCE | GREECE

YORITAKA TASHIRO
JAPON | JAPAN

PIÈCES FIGURANT DANS *L'ARBRE AUX OISEAUX*
WORKS FEATURED IN THE BIRD TREE

TERRE D'ESPÉRANCE
LAND OF HOPE

La compétition Mosaïcultures Internationales Montréal 2013, sous le thème « Terre d'Espérance », vise à illustrer la beauté et la fragilité de la vie sur la planète et l'importance de préserver cette biodiversité. Mosaïcultures Internationales de Montréal dédie cette édition à Frédéric Back, qui a si bien défendu la vie au cours de sa carrière.

The Mosaïcultures Internationales Montréal 2013 competition, presented under the theme "Land of Hope", is intended to illustrate the beauty and the fragility of life on our planet and the importance of protecting it. Mosaïcultures Internationales de Montréal dedicates this edition to Frédéric Back, who has defended life during his career.

À LA QUEUE LEU LEU

UNE ÎLE RICHE EN ESPÈCES

Madagascar représente l'un des endroits les plus riches en biodiversité sur la planète. Isolée du continent à la fin du Crétacé il y a environ 85 millions d'années, à une époque où il y avait encore des dinosaures sur la planète, cette île renferme des espèces uniques au monde.

Les lémuriens font partie de ces espèces dites endémiques à l'île de Madagascar. En tout, il existe cinq familles distinctes, divisées en 15 genres, puis en 103 espèces et sous-espèces !

Les lémurs représentés aux MIM2013 sont de l'espèce Maki catta considérée comme quasi menacée par l'Union internationale de conservation de la nature (UICN).

Les pièces de cette œuvre auront été parmi les plus difficiles à réaliser en mosaïculture en raison de leur petite taille et de l'effet de mouvement recherché dans celles-ci.

ALL IN A ROW

A SPECIES-RICH ISLAND

Madagascar is one of the most richly biodiverse places on the planet. Isolated from the continent at the end of the Cretaceous period approximately 85 million years ago, at a time when dinosaurs still roamed the Earth, this country is home to species that are unique worldwide.

Lemurs are part of these species that are considered endemic to the island of Madagascar. There are five distinct families in all, divided into 15 genera, then into 103 species and subspecies!

The lemurs represented at MIM2013 are of the ring-tailed species, considered near-threatened by the International Union for Conservation of Nature (IUCN).

The pieces of this creation were among the most difficult to achieve as mosaiculture because of the animals' small size, and because of the in-motion effect sought.

L'EAU, SOURCE DE VIE

À une certaine époque, la rivière L'Assomption était considérée comme l'un des cours d'eau les plus pollués du Québec. Grâce aux efforts consentis depuis quelques décennies, la rivière accueille à nouveau une variété d'espèces aquatiques et est aujourd'hui propice aux activités récréatives nautiques.

L'œuvre symbolise l'importance de l'eau pour l'homme, la flore, la faune et pour la planète entière.

La main, au cœur du méandre, représente l'homme et les conséquences de son action sur la qualité de l'eau. La perle d'eau, au bout de son doigt, évoque la planète.

Symbolisant aussi l'arbre, la main démontre l'importance pour la ville de préserver ses forêts, ces milieux filtrants essentiels pour assurer la qualité de l'eau.

Le poisson qui retourne à la rivière et l'oiseau qui s'envole symbolisent le retour de la vie après la dépollution de la rivière.

WATER, SOURCE OF LIFE

There was a time when the L'Assomption River was considered one of Québec's most polluted bodies of water. Thanks to efforts deployed over recent decades, the river is once again home to a variety of aquatic species and is suitable as well for recreational water sports.

The work represents water's importance to man, flora, fauna and the planet as a whole.

The hand at the heart of the meander represents man and the consequences his activity has on the quality of water. The drop of water on the fingertip evokes our planet.

The hand further represents a tree and conveys how crucial it is that the city preserve its forests, which act as filters and play a vital role in ensuring the quality of water.

The fish returning to the water and the bird flying off symbolize the return of life following the river's decontamination.

CANADA | Arrondissement de Ville-Marie, Montréal

VILLE VIVANTE

Cœur économique, touristique et culturel de Montréal, l'arrondissement de Ville-Marie est l'un des rares centres-villes habités en Amérique du Nord. Aux 70 000 résidents s'ajoutent chaque jour 50 000 personnes en transit. Nichés au cœur des gratte-ciels, de nombreux projets structurants voient le jour pour préserver la quiétude, la sécurité, la qualité de vie des gens qui le font vibrer.

LA RUE, L'ÉTÉ, C'EST À PIED !

L'un de ces projets structurants, c'est la piétonnisation. Chaque année, pendant l'été, les rues se transforment en un havre de paix pour piétons dans l'univers des tours du centre-ville. Le poumon économique de la ville se réinvente en poumon vert. Véritables expériences de développement durable, ces projets encouragent le transport actif, réduisent considérablement les émissions de gaz à effet de serre dans les secteurs ciblés et favorisent l'appropriation de l'espace urbain. Ces rues vivantes, accueillantes et sans voiture deviennent le décor de nombreuses rencontres palpitantes.

CANADA | Ville-Marie borough, Montréal

THE LIVING CITY

Ville-Marie is the economic, tourism and cultural hub of Montréal and one of only a handful of downtown cores in North America that thousands of people also call home. The borough's residential population of 70,000 nearly doubles every day, as 50,000 people commute in for work. Nestled between the skyscrapers that dominate the cityscape, a number of compelling initiatives are in the works to make the neighbourhood quieter, safer and eminently livable for those who give it its vibrancy.

A WALKABLE NEIGHBOURHOOD, ALL SUMMER LONG

One of these projects focuses on making Ville-Marie a more pedestrian-friendly area. Every summer, the streets of Ville-Marie become an oasis of peace among a sea of office towers. The economic "lungs" of the city turn green, with sustainability-oriented initiatives designed to encourage active transportation, curb greenhouse gases in key areas and foster a true community feel. The vehicle-free streets are warm and welcoming, setting the stage for encounters as invigorating as they are inspiring.

CORÉE DU SUD | Busan

COEXISTENCE

Coexistence évoque de manière symbolique le paysage de Busan, ville portuaire située à l'extrémité sud-est de la péninsule coréenne. Busan est une grande ville où l'harmonie entre développement et conservation est une priorité. Cette préoccupation repose sur une philosophie voulant que la ville soit compatible avec la nature et que la ville intègre la nature elle-même. Le pont Gwangan, que l'on voit à l'arrière de l'œuvre, est le symbole de la ville et de sa modernité. Grâce au développement durable, on trouve encore dans la ville toute une variété d'habitats d'espèces comme la grue. L'homme en costume coréen traditionnel exécute la danse de la grue du Dongnae (*Dongnae-Hak-chum*) et imite les mouvements de la grue, ce qui met en lumière l'interaction entre les êtres humains et la nature du passé. La coexistence entre tradition et modernité et entre l'Homme et la nature est une réalité de Busan et le demeurera.

SOUTH KOREA | Busan

COEXISTENCE

Coexistence symbolically evokes the landscape of Busan, a port city at the far southeastern corner of the Korean peninsula. This large city has placed priority on maintaining harmony between development and conservation, a concern based on a philosophy that keeps the city compatible with nature and ensures that it incorporates nature itself. Gwangan Bridge, visible at the back of the work, is the symbol of the city and its modernity. Through sustainable development, a variety of habitats have been maintained within the city for species such as cranes. The man in traditional Korean costume is performing the Dongnae Crane Dance (*Dongnae-Hak-chum*) and imitating the crane's movements, highlighting the interaction between humans and nature in the past. The coexistence between tradition and modernity and between humans and nature is—and will remain—a characteristic of Busan.

CANADA | Arrondissements Mercier–Hochelaga-Maisonneuve et Rosemont–La Petite-Patrie, Montréal

L'ARBRE DE LA FAMILLE

Cette mosaïculture se veut un hommage à la famille, la base de notre société. La naissance d'un enfant, empreinte de joie et d'espoir, reflète le thème exploité cette année par les Mosaïcultures Internationales, soit « Terre d'Espérance ».

Dans bien des pays, la plantation d'un arbre marque souvent la venue au monde d'un enfant. Les arrondissements de Mercier–Hochelaga-Maisonneuve et de Rosemont–La Petite-Patrie ne font pas exception puisqu'ils offrent tous deux un programme spécial visant à associer l'arrivée d'un nouveau-né et sa famille à la plantation d'un arbre dans un parc.

La mosaïculture représente un arbre dans lequel on trouve une famille. Ses branches principales, qui symbolisent les deux parents, représentent également les deux arrondissements, voisins d'Espace pour la vie et de son Jardin botanique. Le cœur se trouve également dans le motif de chaque petite feuille, signe que cet amour se transmettra aux nouveau-nés à venir et aux générations futures.

CANADA | Mercier–Hochelaga-Maisonneuve and Rosemont–La Petite-Patrie boroughs, Montréal

THE FAMILY TREE

This mosaiculture work is a tribute to the family unit, which is the foundation of our society. The birth of a child, an event full of joy and hope, exemplifies the theme of this edition of the Mosaïcultures Internationales, "Land of Hope".

In many countries, a tree is planted to mark the birth of a child. The Mercier–Hochelaga-Maisonneuve and Rosemont–La Petite-Patrie boroughs are no strangers to this tradition, thanks to a special program whereby a newborn's family can have a tree planted in a municipal park to honour the arrival of new life.

This horticultural work of art represents a tree within which appears a family. The tree's primary limbs symbolize the two parents, and also the two boroughs in which the Space for Life and its Botanical Garden are located. Each small leaf also bears the heart motif, to indicate that this love will be transmitted to newborns still to come and to future generations.

CANADA

L'HOMME QUI PLANTAIT DES ARBRES | THE MAN WHO PLANTED TREES

HOMMAGE À FRÉDÉRIC BACK — Œuvre réalisée par Mosaïcultures Internationales de Montréal
IN HONOUR OF FRÉDÉRIC BACK—A work created by Mosaïcultures Internationales de Montréal

« Quand je réfléchis qu'un homme seul, réduit à ses simples ressources physiques et morales, a suffi pour faire surgir du désert ce pays de Chanaan, je trouve que, malgré tout, la condition humaine est admirable. »

JEAN GIONO
L'HOMME QUI PLANTAIT DES ARBRES

"When I consider that a single man, relying only on his own simple physical and moral resources, was able to transform a desert into this land of Canaan, I am convinced that despite everything, the human condition is truly admirable."

JEAN GIONO
THE MAN WHO PLANTED TREES

L'HOMME QUI PLANTAIT DES ARBRES (SUITE)

L'Homme qui plantait des arbres se veut un hommage à Frédéric Back, qui a réalisé ce film d'animation exceptionnel inspiré d'une nouvelle de Jean Giono.

Première œuvre phare de l'exposition, elle représente l'action positive de l'homme sur son environnement, l'un des six sous-thèmes de la compétition.

L'œuvre de *l'Homme qui plantait des arbres* a été conçue comme un véritable jardin de mosaïculture issu de l'action d'un seul homme, Elzéard Bouffier. Ce berger, par son intervention constante et patiente, a transformé un territoire désolé et désert en paysage champêtre et forestier où la vie a pu se manifester.

Elzéard Bouffier est représenté ici, en train de planter un jeune chêne, dans un désert qu'évoque la surface de pierres où broutent ses moutons. Son chien est intrigué par les visiteurs qui défilent.

Les chevaux qui courent dans la prairie et la chèvre qui s'abreuve au puits symbolisent le retour à la vie généré par l'action de cet homme seul, action représentée par sa cape qui s'étend sur l'ensemble du site.

THE MAN WHO PLANTED TREES (CONTINUED)

The mosaiculture piece *The Man Who Planted Trees* pays tribute to Frédéric Back, who crafted a superb animated film version of Jean Giono's fable of the same title.

The exhibition's first masterpiece, it conveys the positive impact man can have on his environment, which is one of the competition's six subthemes.

The Man Who Planted Trees was conceived as a bona fide mosaiculture garden stemming from the efforts of a single man, the shepherd Elzéard Bouffier. Through his ceaseless and patient toil, he was able to transform a desolate, arid expanse of land into a fertile territory verdant with field and forest.

Elzéard Bouffier is depicted here planting a young oak, in a desert—evoked by the bed of stones—where his flock are grazing. Elzéard's dog is intrigued by the visitors walking past.

The horses galloping in the prairie and the goat drinking from the well embody the return of life made possible by the action of this sole individual, said action represented here by his cape spread out across the entire site.

BELGIQUE | Province de Hainaut

LE JARDIN DES INSECTES

Avec cette œuvre, la province de Hainaut, en Belgique, par son Département des espaces verts (DEV), souhaite démontrer l'intérêt qu'elle porte à son environnement. Dans un souci de sauvegarde de la biodiversité, la province a entrepris d'intégrer un plan de lutte contre l'utilisation des pesticides. Il s'agit du Plan Maya, qui vise à tenter le maximum pour conserver le patrimoine végétal et animal de la province.

Les efforts du DEV ne portent pas uniquement sur la limite des interventions phytopharmaceutiques. La province s'est également engagée à protéger et à favoriser la prolifération des insectes des milieux ruraux et urbains en intensifiant la plantation d'espèces mellifères et en installant des ruchers dans ses espaces verts.

Voilà donc pourquoi, afin de représenter les actions de la province et de refléter notre culture nationale, le DEV a créé des structures tridimensionnelles mettant en vedette un jardin d'insectes.

BELGIUM | Province of Hainaut

THE INSECTS' GARDEN

With this work, Belgium's Hainaut province, through its green spaces department (Département des espaces verts—DEV), demonstrates its interest in the environment. To safeguard biodiversity, the province integrated a plan to combat the use of pesticides. The Maya Plan is a program whose objective is to preserve the province's native plants and animals.

The DEV's efforts do not exclusively focus on limiting phytopharmaceutical products. The province is also committed to protecting and promoting the proliferation of insects in rural and urban areas, by increasing the introduction of bee species and setting up bee colonies in green spaces.

This is why, to represent the province's actions and reflect our national culture, the DEV created three-dimensional structures, showcasing a garden of insects.

FRAGILES GRENOUILLES !

DES ORGANISMES FRAGILES

Comme pour tous les amphibiens, les populations de grenouilles sont en déclin partout sur la planète. La destruction de leur habitat, la pollution par des produits chimiques, la détérioration de la couche d'ozone et une certaine maladie causée par un champignon, la chytridiomycose, sont au nombre des causes qui menacent d'extinction plus du tiers des espèces.

Pour contribuer à sauvegarder l'une d'elles, la grenouille «Gopher», le Jardin botanique d'Atlanta a amorcé un programme de réinsertion de cet animal dans une aire protégée. Depuis 2007, 2 000 de ces batraciens ont été relâchés dans la nature. La grenouille Gopher fait d'ailleurs partie de l'œuvre que présente la ville d'Atlanta aux MIM2013. Sont également représentées la grenouille marsupiale, la grenouille léopard et la grenouille lémur. Cette dernière vit dans les arbres.

FRAGILE FROGS

FRAGILE ORGANISMS

As with all amphibians, frog populations are in decline all over the world. Habitat destruction, chemical pollution, deterioration of the ozone layer, as well as a certain disease caused by a fungus, called chytridiomycosis, all threaten the extinction of more than a third of the species.

In an effort to help save one frog, the Gopher frog, the Atlanta Botanical Garden began a program to reintroduce this animal into a protected area. There have been 2,000 amphibians released into nature since 2007. The Gopher frog is also part of the work presented at MIM2013 by the city of Atlanta. The Marsupial frog, Leopard frog and Lemur frog are also featured. The last one is a tree dweller.

CHINE | Shanghai

UNE HISTOIRE VRAIE !

L'histoire s'est passée en Chine vers la fin des années 1980. Xu Xiu Juan, une jeune fille née dans une ville du nord de la Chine, adorait les grues à tête rouge depuis son enfance. Une fois diplômée de l'université, elle est allée très loin, vers la réserve naturelle de Yancheng, pour prendre soin de ces grues. Mais un jour, en voulant sauver une grue blessée, elle a glissé dans un marais... La grue a été sauvée sans que la jeune fille ait pu remonter à la surface.

L'émouvante histoire de cette jeune fille se racontait à travers la Chine, du sud au nord, et a touché le cœur de milliers de personnes. Pour rendre hommage au grand esprit de la jeune fille qui avait sauvé la grue au détriment de sa vie, on a composé une chanson pour raconter cette histoire. Le titre de cette chanson est... *Une histoire vraie*.

CHINA | Shanghai

A TRUE STORY!

The story took place in China in the late 1980s. Xu Xiu Juan, a girl born in a city in northern China, had loved Red-crowned Cranes since her earliest childhood. After graduating from university, she travelled very far, to Yangcheng Nature Reserve, to care for these cranes. But one day, when she tried to save an injured crane, she slipped into a swamp. The crane was saved, but the girl never came up again to the surface.

The moving story of this girl, told far and wide across the breadth of China, has touched the hearts of thousands of people. To pay tribute to the wonderful spirit of the girl who saved the crane but lost her own life, a song has been composed to tell this story. The song's title is... *A True Story*.

Hachiko

Statue à la gare de Shibuya
Statue at Shibuya station

JAPON

HACHIKO, CHIEN FIDÈLE

Œuvre représentant l'arrondissement de Shibuya, Tokyo, et réalisée par Mosaïcultures Internationales de Montréal

L'œuvre *Hachiko, chien fidèle* est inspirée d'une histoire vraie et illustre le lien très fort qui peut s'établir entre un humain et un animal.

Hachiko a fait l'objet de deux films, dont *A Dog's Tale*, tourné en 2009, version Hollywood. En réalité, Hachiko, un chien de la race akita inu, appartenait au professeur Hidesaburô Ueno de l'Université impériale de Tokyo. Chaque jour, Hachiko accompagnait et attendait patiemment son maître à la gare de Shibuya. Celui-ci est décédé au travail, à la suite d'une hémorragie intracérébrale. Même après la mort de son maître, Hachiko, surnommé « chien fidèle » par les Japonais, l'a attendu quotidiennement pendant 10 ans, à la gare de Shibuya. Hachiko représente la loyauté pour le peuple japonais, et une statue à son effigie est installée à la sortie de la gare de Shibuya.

JAPAN

HACHIKO, THE LOYAL DOG

A work representing the ward of Shibuya, Tokyo, and created by Mosaïcultures Internationales de Montréal

The piece *Hachiko, the Loyal Dog* is inspired by a true story and is a good illustration of the strong bond that often arises between a human being and an animal.

Hachiko inspired two films, one of them being the 2009 Hollywood production *A Dog's Tale*. In real life, Hachiko, an Akita Inu, belonged to one Hidesaburô Ueno, a professor at the Imperial University of Tokyo. Each day, Hachiko would accompany his master to the Shibuya train station and patiently wait for him there until his return from work later in the day. One day, Hachiko's master died at work of a cerebral hemorrhage. Despite this, Hachiko, whom the Japanese nicknamed the "Loyal Dog", went on waiting for his master at the train station every day for the next 10 years. To the Japanese people, Hachiko has come to embody loyalty. A statue in his likeness has been erected near the exit of the Shibuya station.

HAMAMATSU, VILLE CRÉATIVE : SYMBIOSE DE L'HOMME ET DE LA NATURE TOURNÉE VERS L'AVENIR

Hamamatsu est non seulement une ville industrielle centrée sur l'industrie manufacturière — on y fabrique notamment des motos et des instruments de musique —, c'est aussi une métropole où l'industrie et la nature coexistent en harmonie.

La ville s'est donné comme objectif de joindre le Réseau des villes créatives de l'UNESCO dans le domaine de la musique. Voilà pourquoi le piano, symbole de la ville de Hamamatsu, est utilisé comme objet principal de l'œuvre.

Le relief magnifié par le vent sur la dune Nakatajima, l'une des trois plus importantes dunes japonaises, est présenté comme une expression de *land art*. Espèce en voie d'extinction, la tortue carette, qui pond sur la dune, profite des activités de protection de la nature organisées par la ville, alors que l'eau représente les sons joués par le piano pour donner l'impression de s'envoler vers une terre future remplie d'espérance.

HAMAMATSU, CITY OF CREATIVITY: LOOKING TOWARD THE FUTURE THROUGH A SYMBIOSIS OF MAN AND NATURE

Hamamatsu is not only an industrial city based on manufacturing—specifically motorcycles and musical instruments—but also a community where industry and nature coexist in harmony.

The city has set a target of joining UNESCO's Creative Cities Network in the field of music, so it chose the piano, symbol of Hamamatsu, as the focus of its work.

The relief magnified by the wind on the Nakatajima dune, one of Japan's three largest dunes, is presented as an expression of land art. The loggerhead (caretta) turtle, an endangered species, lays its eggs in the dune and thus benefits from the city's nature conservation activities, while the water represents the sounds produced by the piano to create the impression of flight to a future land filled with hope.

JAPON | Hiroshima, île d'Honshu

UNE COLOMBE POUR LA PAIX

Cette œuvre représente une colombe, symbole reconnu de la paix. Chaque année, le 6 août, le maire d'Hiroshima lit la Déclaration de la paix et le tout est suivi de l'envol d'un millier de colombes, qui portent nos vœux de paix vers les cieux.

La colombe est présentée dans les mains d'une personne et on peut voir son ombre au sol. Former des ombres qui représentent des animaux est un jeu traditionnel encore prisé des enfants au Japon.

En présentant une colombe comme symbole de la paix, avec des mains qui jaillissent de la terre, nous souhaitons faire part de notre désir sincère pour un monde de paix, où tous les peuples se donneront la main malgré les différences nationales et culturelles.

Nous croyons que cette œuvre peut sensibiliser les gens à l'importance de la paix pour la ville d'Hiroshima, qui a vécu un bombardement atomique.

JAPAN | Hiroshima, Honshu Island

A DOVE FOR PEACE

This work depicts a dove, a recognized symbol of peace. Each year on August 6, the mayor of Hiroshima reads the Declaration of Peace and then a thousand doves are released, bearing our wishes for peace to the heavens.

The dove is held in human hands and its shadow is visible on the ground. Forming shadows in the shape of animals is a traditional game still loved by children in Japan.

By depicting a dove as the symbol of peace, in hands emerging from the earth, we want to convey our sincere desire for a world at peace, in which all people help each other despite national and cultural differences.

We believe that this work can increase people's awareness of the importance of peace for the city of Hiroshima, which lived through an atomic bombing.

NON LOIN DE LA CITÉ DE L'OR

L'Abitibi-Témiscamingue est la région où l'on trouve la plus vaste zone de végétation au Canada. C'est un territoire qui respire, mais un territoire qui n'échappe malheureusement pas à la pollution.

Pour illustrer notre relation avec cette nature omniprésente dans notre ville, nous avons façonné la matière et utilisé des mousses et des lichens que l'on dit bio-indicateurs de pollution. Ce choix n'est pas anodin : il reflète d'une part la fragilité de la nature, d'autre part sa force inouïe. Non seulement le lichen est-il extrêmement sensible à la pollution de l'air, mais ses mousses ont la capacité de supporter de longues sécheresses puis de renaître à la faveur d'une petite pluie.

Nous avons aussi utilisé de nombreuses matières recyclées pour réaliser cette mosaïculture : valoriser la réutilisation des objets constitue un message très important de l'œuvre. En effet, celle-ci évoque les bienfaits de la récupération pour la riche biodiversité de l'Abitibi.

Non loin de la cité de l'or présente la faune et la flore de notre contrée nordique dans une œuvre écologique, reflet d'une terre d'espérance.

NEAR THE CITY OF GOLD

The Abitibi-Témiscamingue region forms the largest area of vegetation in Canada—an area that breathes, but that is nonetheless subject to pollution.

We worked the material and incorporated pollution bio-indicators, such as boreal lichen, which is extremely sensitive to air pollution and abundant in the region. This was no random choice: mosses can tolerate extended droughts and spring back to life with just a little rain.

To illustrate the ubiquity of nature in our city, the reuse of recycled materials was an important aspect of producing this work. It evokes the benefits of recovery and use of mosses and lichens, depicting each aspect of biodiversity in Abitibi.

Near the City of Gold presents the fauna and flora of our northern region in an ecological work that reflects a land of hope.

LES PROTECTEURS DE L'ÎLE

L'ÎLE AUX GARDES DE PIERRE

L'île de Pâques recèle une histoire à la fois tragique et mystérieuse. C'est autour de l'an 400 qu'elle accueille ses premiers habitants, venus de l'ouest d'une île située à plus de 2 000 km de là. Au passage des premiers Européens, en 1722, l'île est toujours habitée, mais ses habitants s'entredéchirent.

Derrière ces affrontements se cache la raréfaction des ressources, entre autres celle du bois. Était-elle due à la surexploitation? Ou à la destruction des forêts de palmiers pascuans par l'avènement de rats de Polynésie qui raffolaient des semences de ces arbres? Ah, si les Moaï pouvaient nous raconter ce qui s'est réellement passé!

GUARDIANS OF THE ISLAND

THE ISLAND'S STONE GUARDIANS

Easter Island has a history that is both tragic and mysterious. Around 400 A.D., the first inhabitants arrived on the island, coming from an island in the west more than 2,000 km away. By the time the first Europeans arrived in 1722, the Island was still inhabited, but its inhabitants had wreaked havoc on each other.

Behind this conflict also lies the depletion of resources, including wood. Was this caused by overexploitation? Or were the Easter Island palm forests destroyed by Polynesian rats who devoured the nuts from these trees? If only the Moai could tell us what really happened!

ROYAUME-UNI | Pays de Galles

LES SANGLIERS DE L'ÎLE DE SALLY
Œuvre environnementale réalisée
par Sally Matthews (œuvre hors concours)

Les Sangliers de l'île de Sally constituent la première
œuvre environnementale présentée aux MIM2013.

Cette œuvre ne relève pas du domaine proprement dit
de la mosaïculture, mais permet de découvrir la nouvelle
tendance d'œuvres dites environnementales, souvent
éphémères et réalisées avec des matériaux provenant
de la nature, et dont les sujets sont inspirés de la nature.

Les Sangliers de l'île de Sally sont nés des mains de
cette artiste de génie, au Jardin botanique de Montréal,
sur l'île à l'entrée du secteur de la saulaie. Sally s'est
inspirée du lieu pour créer et insuffler vie et mouvement
à ses cinq sangliers, et ce, à partir de matériaux végétaux
inertes provenant du Jardin botanique.

Ces nouveaux gardiens de l'île de Sally peuvent ainsi
introduire les visiteurs auprès des *Esprits de la forêt*
qui leur succèdent.

UNITED KINGDOM | Wales

THE BOARS OF SALLY ISLAND
An ecological work created by Sally Matthews
(presented out of competition)

The Boars of Sally Island is the first ecological work
presented at MIM2013.

It is not, strictly speaking, a mosaiculture piece.
Rather, it is representative of a new trend, that of
so-called ecological works: creations with an often
ephemeral quality, made from organic materials
and inspired by nature.

The Boars of Sally Island was made by this talented artist
at the Montréal Botanical Garden, on the island located
at the entrance to the willow plot. Sally was inspired
to create and to impart life and motion to her five boars
using dead plant matter from the site.

These new keepers of Sally Island also serve to introduce
visitors to the *Spirits of the Forest* that follow them.

CERNUNNOS ET LE SERPENT À CORNES DE BÉLIER
CERNUNNOS AND THE RAM-HORNED SERPENT

CANADA

LES ESPRITS DE LA FORÊT | SPIRITS OF THE FOREST

SECTEUR EXPÉRIMENTAL — Œuvre présentée par Mosaïcultures Internationales de Montréal
EXPERIMENTAL AREA—A work presented by Mosaïcultures Internationales de Montréal

Les œuvres de mosaïculture nécessitent un milieu ensoleillé en raison des exigences des plantes utilisées. Le secteur de la saulaie est ombragé et s'avère donc un secteur expérimental où le choix de plantes d'ombre, qui ne sont pas habituellement utilisées en mosaïculture, s'est imposé.

Composés de quatre œuvres de mosaïculture représentant des divinités celtiques protectrices de la nature, *les Esprits de la forêt* exploitent le cachet très particulier et magique que l'on trouve dans le secteur de la saulaie.

Mosaiculture works require a sunlit environment in order to satisfy the lighting needs of the plants used. The willow plot is shaded and thus makes a suitable location in which to experiment with shade plants, which are not usually used in mosaiculture practice.

Comprising four separate mosaiculture works representing Celtic deities known to be custodians of Nature, *Spirits of the Forest* draws on the singular and magical cachet of the willow plot to great effect.

L'HOMME VERT
GREEN MAN

LES ESPRITS DE LA FORÊT (SUITE)

L'HOMME VERT
L'*Homme vert* accueille les visiteurs à l'entrée du tunnel.

L'Homme vert est un dieu païen du Moyen Âge et représente l'esprit des arbres. Le feuillage qui entoure son visage est souvent composé de feuilles de chêne, ancien arbre sacré en Grande-Bretagne.

LE SERPENT À CORNES DE BÉLIER
Le serpent est un symbole universel mythique. Il incarne l'immortalité, l'infini et les forces sous-jacentes menant à la création de la vie.

Le serpent à cornes de bélier est associé au dieu gaulois Cernunnos, qui était très populaire dans toute l'Europe celtique et en Gaule, où il représentait l'unité culturelle réalisée par les Celtes lors de leur expansion. Il évoque les forces reproductives de la nature et la force combattive.

COVENTINA
Coventina est une divinité celtique qui veille sur les lutins et les nymphes d'eau. Déesse de la pluie, des rivières, des lacs, des ruisseaux, des étangs, des océans et des créatures aquatiques, elle adore les roseaux et les nénuphars qui ornent les berges des rivières.

CERNUNNOS
Cernunnos est une divinité très ancienne qui a été très populaire jusqu'au 2e siècle après Jésus-Christ.

Maître du règne animal, il représente l'abondance. C'est le dieu de la virilité, des richesses, des régions boisées, de la régénération de la vie et le gardien des portes de l'autre monde.

COVENTINA
COVENTINA

SPIRITS OF THE FOREST (CONTINUED)

GREEN MAN

Green Man welcomes visitors at the tunnel entrance.

Green Man is a medieval pagan god who represents the spirit of trees. The foliage surrounding his face is often composed of oak leaves, the oak being an ancient sacred tree in Great Britain.

THE RAM-HORNED SERPENT

The serpent is a universal symbol; it embodies immortality, infinity and the forces underpinning the creation of all life.

The Ram-horned Serpent is related to the Gallic god Cernunnos, who was widely worshipped across all of Celtic Europe and in Gaul, where he represented the cultural unification achieved by the Celts in the course of expanding their empire. Cernunnos is the god of fertility and embodies masculine energy.

COVENTINA

Coventina is a Celtic deity who watches over fairies and water nymphs. Goddess of rain, rivers, lakes, streams, ponds, oceans and water creatures, she is fond of reeds and water lilies found along river banks.

CERNUNNOS

Cernunnos is a very ancient deity, quite popular until the second century A.D.

Master of the animal kingdom, Cernunnos is the god of fertility, virility, wealth and the forest, and the guardian of the gate to the afterworld.

ROYAUME-UNI | Devon

ODYSSEY ET HOPE
Œuvre environnementale créée par Heather Jansch
(œuvre hors concours)

Odyssey et Hope constitue la deuxième œuvre
environnementale présentée aux MIM2013.

Cette œuvre ne relève pas du domaine proprement dit
de la mosaïculture, mais permet de découvrir la nouvelle
tendance d'œuvres dites environnementales, souvent
éphémères et réalisées avec des matériaux provenant
de la nature, et dont les sujets sont inspirés de la nature.

Odyssey (la jument) et Hope (le poulain) sont nés des
mains de Heather Jansch, sculpteure britannique dont
le génie est reconnu partout au Royaume-Uni.

Passionnée par le dessin et par les chevaux, Heather
Jansch est réputée pour ses sculptures de chevaux,
grandeur nature, créées à partir de bois de grève. Elle
choisit soigneusement les branches de bois de grève de
façon à les utiliser sans les couper ou les modifier, et ce,
tout en créant l'effet qu'elle recherche. Il faut plus de
six mois à Heather Jansch pour réaliser un seul cheval.

Elle a créé *Odyssey et Hope* spécialement pour
les MIM2013, dont le thème « Terre d'Espérance »
l'a beaucoup inspirée et intéressée.

UNITED KINGDOM | Devon

ODYSSEY AND HOPE
An ecological work created by Heather Jansch
(presented out of competition)

Odyssey and Hope is the second ecological work
presented at MIM2013.

It is not, strictly speaking, a mosaiculture piece. Rather,
it is representative of a new trend, that of so-called
ecological works: creations with an often ephemeral quality,
made from organic materials and inspired by nature.

Odyssey (the mare) and Hope (the colt) are born of the
hands of Heather Jansch, a British sculptor widely praised
throughout the UK.

Passionate about both drawing and horses, Heather
Jansch is well known for her life-size sculptures of
horses fashioned from driftwood. She carefully selects
the branches of wood that go into her sculptures so as
to avoid the need to cut or otherwise alter them while
still creating the desired effect. She can devote more
than half a year to a single piece.

Odyssey and Hope was specially commissioned for
MIM2013, and Heather was particularly interested
in and inspired by the theme "Land of Hope".

ANGLETERRE

LE CHEVAL BLANC D'UFFINGTON

Avec ses 123 mètres de long, l'extraordinaire *Cheval blanc d'Uffington* se détache en contrebas des ruines du château d'Uffington dans le comté d'Oxfordshire en Angleterre. Creusées à même une colline de craie, ses lignes blanches élégantes rappellent l'art celtique dans sa particularité d'évoquer le mouvement de façon épurée.

On raconte que cette silhouette chevaline était désherbée tous les sept ans, au moment du solstice d'été. N'étant visible que du ciel, elle constitue l'un des géoglyphes les plus importants et les plus anciens. Une étude récente, menée par des scientifiques de l'Oxford Archaeological Unit, fait remonter ses origines aux environs de l'an 1000 av. J.-C. Sa similitude avec le dessin ornant des pièces de monnaie antiques suggère qu'elle ait été réalisée par les Celtes.

Bien que la tradition locale voie dans cette représentation l'image d'un dragon, l'hypothèse la plus vraisemblable est celle d'une gravure dédiée au culte d'Epona, déesse des chevaux dans la mythologie celtique gauloise.

ENGLAND

THE WHITE HORSE OF UFFINGTON

With a length of 123 metres, the stunning *White Horse of Uffington* stretches out below the ruins of Uffington Castle in Oxfordshire, England. Carved into the side of a chalk hill, its graceful white curves are reminiscent of Celtic art's characteristic way of articulating motion through the use of clean, fluid lines.

It is said that this abstract silhouette of a horse was rid of grassy growth every seven years on the occasion of the summer solstice. Visible only from above, it constitutes one of the oldest and most important geoglyphs known. A recent analysis conducted by scientists of the Oxford Archaeological Unit puts the *Horse*'s creation at about 1000 B.C. Its resemblance to a figure borne on antique coinage suggests it was indeed the work of Celts.

Although local tradition interprets the image rather as that of a dragon, the more plausible explanation is that the etching was dedicated to the deity Epona, the goddess of horses in Gallo-Celtic mythology.

PARTAGER LES RESSOURCES DE LA TERRE

Le Jardin botanique du Nouveau-Brunswick (JBNB), à Edmundston, fête cette année son 20ᵉ anniversaire. Depuis son ouverture en 1993, le JBNB contribue à sensibiliser ses visiteurs et sa communauté à l'importance de protéger l'environnement et d'en assurer une gestion durable.

C'est ainsi que le JBNB a mis sur pied un Plan vert qui offre de l'aide à plusieurs organismes et commerces de la région afin qu'ils adoptent des pratiques plus écologiques. Ce plan traite de cinq grands aspects de notre environnement : le matériel, l'eau, l'énergie, la terre et l'air. Pour chacun d'eux, il propose des mesures concrètes à mettre en œuvre pour assurer un avenir plus vert.

Enfin, les splendides mosaïcultures installées sur le site vous feront connaître des aspects particuliers de l'histoire et de la culture locales. Justement, le Jardin s'est associé à la communauté malécite du Madawaska (nation de Wolastoqiyik) afin de présenter dans le cadre des Mosaïcultures 2013 une œuvre intitulée *Partager les ressources de la terre*. Parmi les plus florissantes du Nouveau-Brunswick, cette communauté autochtone regroupe 345 personnes.

SHARING THE RICHES OF THE LAND

The New Brunswick Botanical Garden (NBBG), in Edmundston, celebrates its 20th anniversary this year. Since it opened in 1993, the NBBG has contributed to making visitors and the local community alike more aware of the importance of protecting the environment and of managing it in a sustainable manner.

To this end, the NBBG has implemented a Green Plan to support regional organizations and businesses in their efforts to adopt more eco-friendly practices. The plan covers five major areas: material, water, earth, air and energy. It proposes concrete measures for ensuring a greener future.

Finally, the site's magnificent mosaiculture works reveal something of the local history and culture. In fact, the Garden has partnered with the Madawaska Maliseet community (the Wolastoqiyik Nation) to present, as part of the Mosaïcultures 2013, a work titled *Sharing the Riches of the Land*. With 345 members, it is one of New Brunswick's most thriving Aboriginal communities.

CANADA | Premières Nations de l'Est et du Labrador

NAÎTRE AVEC LE SOLEIL

L'imaginaire collectif des Premières Nations est peuplé d'êtres zooanthropiques. Ces personnages mi-humains, mi-animaux prennent la vedette dans cette œuvre conçue par Christine Sioui Wawanoloath.

L'artiste explique que les légendes autochtones foisonnent de métamorphoses qui nous transportent aux débuts du monde. Ici, le père-oiseau rend hommage à l'univers céleste et spirituel, alors que la mère-ourse sème les traces du futur sur cette terre. Ils le font pour leur enfant, qui se souviendra de ses origines et grandira en harmonie avec tous les êtres de sa parenté. Leur canot est un monde nouveau rempli d'espoir et de rêves à répandre dans les quatre directions de notre terre.

CANADA | First Nations of Eastern Québec and Labrador

BORN WITH THE SUN

The collective imagination of the First Nations is peopled with many zoanthropic beings, that is to say, characters combining human and animal traits. Such figures are the focus of this work by artist Christine Sioui Wawanoloath.

According to her, Aboriginal legends are teeming with incidents of metamorphosis, going as far back as Earth's creation. Here, the father-bird pays tribute to the celestial and spiritual universe, while the mother-bear sows the seeds of Earth's future. They do this for their child, who will thereby remember his roots and grow up in harmony with all his kin. The canoe represents a new world, full of hopes and dreams to carry forth to the four corners of the world.

CANADA

TERRE MÈRE | MOTHER EARTH

Œuvre réalisée par Mosaïcultures Internationales de Montréal
A work created by Mosaïcultures Internationales de Montréal

« Pacha Mama, c'est nos racines qui sont en toi,
Tout notre amour sera plus fort que notre désarroi »

"Pacha Mama, our roots lie within you,
All our love will triumph over our dismay"

KENY ARKANA

KENY ARKANA

« Pachamama » pour les Amérindiens d'Amérique du Sud, « Gaïa » dans la mythologie grecque, « Terra Mater » chez les Romains de l'Antiquité, « Mahimata » dans le Rig Veda de l'hindouisme, « Eorban Modor » pour les peuples germaniques et du Nord, la Terre Mère célébrée et racontée par les Premières Nations d'Amérique du Nord est universelle et transcende les âges et les nations, du Paléolithique à aujourd'hui. Elle est la base de tout : êtres vivants, végétaux, minéraux, textiles, technologies, nourriture.

She goes by many names: "Pachamama" for South American Indians, "Gaia" in Greek mythology, "Terra Mater" in Roman myth, "Mahimata" in Hinduism's *Rig-Veda*, "Eorban Modor" for the Germanic and Northern peoples, and "Mother Earth" as named and celebrated by North America's First Nations. She is universal and transcends nationalities and the ages, from the Paleolithic to today. She is the basis for everything: living beings, plant life, minerals, textiles, technology, food.

TERRE MÈRE (SUITE)

MIM2013 ne pouvait trouver meilleure ambassadrice que la *Terre Mère*, deuxième œuvre phare de l'exposition, pour donner le ton à « Terre d'Espérance » et illustrer son premier sous-thème : l'interdépendance entre l'homme et la nature.

Issue de la culture autochtone nord-américaine, l'œuvre *Terre Mère* s'inspire du discours qui aurait été prononcé en 1854 par le chef Seattle, lors de sa rencontre avec le président des États-Unis de l'époque, Franklin Pierce. Ce discours, prononcé dans le cadre de l'achat des terres autochtones par les États-Unis, illustre bien la relation qu'entretiennent les premiers habitants de notre continent avec la nature.

On peut lire, dans ce discours, l'extrait qui a servi de base à l'œuvre *Terre Mère* :

« ... nous faisons partie de cette terre comme elle fait partie de nous. Les fleurs parfumées sont nos sœurs, le cerf, le cheval, le grand aigle sont nos frères ; les crêtes des montagnes, les sucs des prairies, le corps chaud du poney, et l'homme lui-même, tous appartiennent à la même famille...

Qu'est l'homme sans les bêtes ? Si toutes les bêtes disparaissaient, l'homme mourrait de grande solitude de l'esprit. Car tout ce qui arrive aux bêtes ne tarde pas à arriver à l'homme...

Gardez en mémoire le souvenir de ce pays, tel qu'il est au moment où vous le prenez. Et de toutes vos forces, de toute votre pensée, de tout votre cœur, préservez-le pour vos enfants, et aimez-le comme Dieu nous aime tous. »

D'une hauteur de 15 mètres, la *Terre Mère* réconcilie l'homme et la nature et convie le visiteur de façon magistrale à un spectacle sans pareil.

MOTHER EARTH (CONTINUED)

MIM2013 could have no better ambassador than *Mother Earth*, the exhibition's second masterpiece, to set the tone for the event's key theme, "Land of Hope", and to illustrate its first subtheme, the interdependence of man and nature.

Taking its cues from North American Aboriginal culture, *Mother Earth* was inspired by a speech reportedly delivered in 1854 by Chief Seattle during his meeting with then President of the United States Franklin Pierce on the occasion of the sale of Native land to white settlers. His words capture the essence of the privileged relationship our continent's first inhabitants maintain with nature.

From that speech, the following excerpts served as the basis for *Mother Earth*:

"We are part of the Earth and it is part of us. The perfumed flowers are our sisters, the deer, the horse, the great eagle, these are our brothers. The rocky crests, the juices in the meadows, the body heat of the pony, and man, all belong to the same family. [...]

What is man without the beasts? If all the beasts were gone, man would die from a great loneliness of the spirit. For whatever happens to the beasts, soon happens to man. [...]

Preserve the memory of this Earth as [we] deliver it. And with all your strength, your spirit and your heart, preserve it for your children and love it as God loves us all."

Nearly 15 metres tall, *Mother Earth* reconciles man and nature in a masterful and visually spectacular fashion.

FINLANDE | Helsinki

LE CHANT DU CYGNE

UN OISEAU QUI MARQUE L'IMAGINAIRE

Pas surprenant de voir un cygne représenter la Finlande. Il en est l'oiseau national. Évoquant grâce, élégance et beauté, le cygne est aussi symbole de la fragilité de la vie sur la planète.

Ces oiseaux sont parmi les plus gros à pouvoir voler et vont d'ailleurs passer une partie de leur vie à migrer. Bien qu'ils ne soient pas menacés, ils bénéficient des mesures de protection inhérentes à l'Accord sur la conservation des oiseaux d'eau migrateurs d'Afrique-Eurasie.

L'expression «chant du cygne» viendrait d'une légende vieille de l'Antiquité dans laquelle on rapportait qu'un cygne muet (c'est le nom de l'espèce) se serait mis à émettre un chant magnifique quelques secondes avant de mourir.

FINLAND | Helsinki

SWAN SONG

A BIRD THAT CAPTURES THE IMAGINATION

It's no surprise that the swan represents Finland. It is the country's national bird. Evoking grace, elegance and beauty, the swan is also a symbol of the fragility of life on this planet.

These birds are among the largest that can fly and they spend part of their life in migration. Although they are not endangered, they fall under the protective measures of the Agreement on the Conservation of African-Eurasian Migratory Waterbirds.

"Swan song" is an expression that originates from an old legend from ancient times, when a mute swan (also the name of a species of swan) sang a magnificent song just before dying.

FRANCE

PAPILLON DE COMESSE

Monsieur Comesse, jardinier de Passy, a réalisé la première œuvre figurative de mosaïculture à l'Exposition universelle de Paris, en 1878. Son papillon, composé de 3 000 plantes et installé devant le Trocadéro, a fait le bonheur des milliers de visiteurs et a remporté une médaille d'argent.

Le *Papillon de Comesse* a pu être reproduit aux MIM2013 grâce au dessin de monsieur Comesse lui-même, dessin conçu comme une peinture par numéros où chaque plante utilisée est identifiée par un chiffre. Ce dessin avait été reproduit dans *La Revue horticole* de 1878.

Plusieurs des plantes utilisées à cette époque ne sont plus offertes sur le marché. Par contre, l'équipe de MIM a utilisé des plantes aux caractéristiques similaires à celles de 1878.

MOSAÏCULTURE A L'EXPOSITION UNIVERSELLE.

Fig. 99. — (Mosaïculture.) Imitation d'un papillon, comprenant 3,000 plantes.

FRANCE

COMESSE'S BUTTERFLY

The first-ever figurative mosaiculture piece is credited to one Mr. Comesse, a gardener from Passy, who presented it at the Paris World Fair in 1878. A butterfly comprising 3,000 plants, the work was installed before the Trocadéro, where it delighted the exhibition's thousands of visitors. It was awarded a silver medal.

Comesse's Butterfly has been reproduced for MIM2013 from Mr. Comesse's original drawing, which resembles a paint-by-numbers canvas wherein each plant used is assigned a number. His drawing had appeared in 1878 in the publication *La Revue horticole*.

Many of the plants used in the original work are no longer available on the market today. The MIM team substituted them with plants possessing similar characteristics.

MALAISIE | Bornéo

HAUT LES MAINS !

UNE ÎLE AU TRÉSOR

Comme d'autres grandes îles du globe, Bornéo renferme une biodiversité distinctive. Environ 44 espèces de mammifères, 37 espèces d'oiseaux et 19 espèces de poissons sont endémiques à l'île et ne se trouvent donc pas ailleurs sur Terre. Tout ça, sans compter les milliers d'espèces qu'elle partage avec d'autres îles de la région.

C'est grâce à son climat tropical et à la densité de ses forêts qu'on y trouve tant de biodiversité. Sur un seul et même arbre, on a déjà dénombré jusqu'à 1 000 espèces animales différentes, principalement des insectes.

Les orangs-outans font partie intégrante de cette biodiversité. Il en existe deux espèces : une propre à Bornéo et une autre spécifique à Sumatra. Leur nom vient du malais et signifie « homme de la forêt ».

MALAYSIA | Borneo

HANDS UP!

Like other large islands around the world, Borneo has a distinctive biodiversity. Approximately 44 mammal, 37 bird, and 19 fish species are endemic to the island and are found nowhere else on Earth; and this doesn't include the thousands of species that it shares with other islands in the area.

This great biodiversity is a result of its tropical climate and dense forests. Up to 1,000 different animal species were once counted on one tree alone, the majority being insects.

Orangutans are an integral part of this biodiversity. Two species exist: the Bornean and the Sumatran. The word orangutan comes from the Malay and Indonesian languages and means "man of the forest".

OUGANDA

GORILLES EN PÉRIL

DES GÉANTS MENACÉS

Grâce aux six régions floristiques qu'il couvre, l'Ouganda est l'un des pays d'Afrique les plus riches en biodiversité animale.

Au sud-ouest du pays, dans une chaîne montagneuse appelée Virungas, se trouve la seule population au monde de gorilles de montagnes, une sous-espèce des gorilles de l'est. Selon la World Wildlife Federation, on ne dénombre pas plus de 800 individus de ce sous-groupe dans ces montagnes que partage l'Ouganda avec la République démocratique du Congo et le Rwanda.

Le gorille des montagnes n'est pas le seul dont l'avenir est menacé. Selon l'UICN, toutes les espèces et sous-espèces de gorilles sont soit en danger, soit en danger critique.

UGANDA

GORILLAS AT RISK

THREATENED GIANTS

Thanks to the six floristic regions that it covers, Uganda is one of the African nations with the richest animal biodiversity.

In the southwest part of the country, in a mountain chain called the Virunga Mountains, lives the only population of mountain gorillas in the world, a subspecies of the eastern gorillas. According to the World Wildlife Federation, no more than 800 individuals of this subgroup are to be found in these mountains that Uganda shares with the Democratic Republic of Congo and Rwanda.

The mountain gorilla is not the only type of gorilla whose future is threatened. According to the IUCN, all species and subspecies of gorillas are either endangered or critically endangered.

PRESQUE DE LA FAMILLE !

UNE PERTE DE 90 % EN 20 ANS

Partout en Afrique, les populations de chimpanzés régressent. Au début du 20e siècle, on comptait environ deux millions d'individus ; aujourd'hui, entre 150 000 et 250 000. Et la tendance n'est guère à l'optimisme : leur nombre aurait chuté de près de moitié au cours des 20 dernières années seulement, conduisant le genre à disparaître de quatre pays d'Afrique !

Bien qu'elle demeure importante, la population est considérablement plus petite qu'avant. En plus du braconnage, les chimpanzés doivent composer avec la déforestation, qui fragmente leur habitat en petits îlots.

Heureusement, des efforts ont été mis en place pour renverser cette décroissance. Depuis 2001, les chimpanzés font l'objet d'un programme de protection des grands singes, le GRASP, instauré par le Programme des Nations unies pour l'environnement.

PRACTICALLY FAMILY!

A 90% LOSS IN 20 YEARS

Chimpanzee populations are declining everywhere in Africa. Whereas two million individuals existed at the dawn of the 20th century, today the number is somewhere between 150,000 and 250,000. And the trend gives little cause for optimism: their numbers have fallen by half over the last 20 years alone, resulting in the disappearance of the genus from four African countries!

Though it is still significant, the chimpanzee population is smaller than before. Poaching is a problem, as well as deforestation, which breaks up the chimpanzees' habitat into small islands.

Thankfully, efforts have been made to reverse this decline. Since 2001, the survival of chimpanzees has been the focus of the great ape protection program called GRASP, established by the United Nations Environment Program.

CANADA

AMBASSADEURS DE L'ESPOIR
Œuvre parrainée par le WWF

Le panda géant est sans doute le symbole le plus universellement reconnu de la conservation des espèces menacées. À peine 1 600 individus vivent encore à l'état sauvage.

Le panda revêt une signification toute particulière pour le Fonds mondial pour la nature (WWF). Il en est devenu le symbole peu après la fondation de l'organisme en 1961, en l'honneur de Chi-Chi, un panda géant du zoo de Londres.

Depuis sa création par un petit groupe d'amoureux de la nature, le WWF est devenu l'organisme indépendant de conservation de la nature le plus important et le plus respecté au monde. Soutenu par 5 millions de personnes, le WWF est actif dans plus de 100 pays, sur 5 continents.

CANADA

AMBASSADORS OF HOPE
Work sponsored by WWF

The giant panda is perhaps the world's most powerful symbol of species conservation. Only 1,600 remain in the wild.

For the World Wildlife Fund (WWF), the panda has a special significance. It became the organization's symbol soon after it was founded in 1961, inspired by Chi-Chi, a giant panda that arrived at the London Zoo that same year.

From WWF's origins as a small group of committed wildlife enthusiasts, the organization has grown into one of the world's largest and most respected conservation leaders—supported by 5 million people and active in over 100 countries on five continents.

CANADA | Sherbrooke

UN PETIT PONT POUR L'HOMME, UN GRAND PAS POUR LA BIODIVERSITÉ !

Par sa cohabitation avec le milieu naturel, l'Homme doit, à travers ses faits et gestes, permettre une interrelation entre la nature qui l'entoure et lui-même, afin de préserver l'importance fragile de la biodiversité de son milieu et de favoriser une harmonie entre les divers écosystèmes.

C'est ce principe qui a guidé l'équipe du projet de construire une traverse de grenouilles, aménagée sous la route 220, dans les Cantons-de-l'Est, au Québec. Cette route divise le marais du lac Brompton et se trouve en plein cœur du corridor de migration des amphibiens.

Cette traverse permet aux amphibiens d'emprunter des tunnels pour traverser la route en toute sécurité et aller se reproduire dans le marais de l'autre côté de la route.

Il s'agit de la première traverse du genre au Canada. Elle a permis de protéger la population d'amphibiens et, par ricochet, tout l'écosystème du marais, riche en diversité reptilienne.

CANADA | Sherbrooke

ONE SMALL BRIDGE FOR MANKIND, ONE GIANT LEAP FOR BIODIVERSITY

Through cohabitation with the natural environment and their actions, humans generate an interrelationship between themselves and the surrounding nature to preserve the vital yet fragile biodiversity of their environment and foster harmony among the various ecosystems.

This principle guided the project to build a frog tunnel under highway 220 in Québec's Eastern Townships. This road cuts through the middle of the Brompton Lake swamp and an amphibian migration corridor.

The tunnel lets amphibians cross under the highway safely, to reproduce in the swamp on the other side.

This crossing, the first of its kind in Canada, protects the amphibian population and therefore the swamp's ecosystem, with a rich diversity of reptiles.

PHOTO : ISTOCKPHOTO

TURQUIE | Gaziantep

GYPSY GIRL — GAÏA

LA *GYPSY GIRL* DE ZEUGMA

La *Gypsy Girl* — la «gitane» — a des traits mélancoliques. Ses cheveux sont séparés au centre et couverts d'un bonnet. Son front est court, son visage est innocent et ses pommettes sont bien rondes. Elle peut vous suivre du regard, à 360 degrés. Son front court et son bonnet lui ont valu le surnom de gitane (Gypsy Girl) lorsque la mosaïque a été découverte. Certains archéologues prétendent qu'il s'agirait plutôt d'Alexandre le Grand, en raison de la façon dont ses cheveux sont séparés, de ses yeux et de son nez. D'autres croient qu'il s'agit d'une représentation de Gaïa, déesse de la Terre, et d'autres encore attirent l'attention sur les vignes en arrière-plan et prétendent qu'il s'agirait de Menad, un disciple de Dionysos. Qui qu'elle soit, son visage un peu triste est devenu le symbole de Zeugma. Cette mosaïque a été découverte dans la salle à manger de la maison de la gitane (Menad) lors des fouilles organisées par la direction du musée de Gaziantep, en 2000.

TURKEY | Gaziantep

GYPSY GIRL—GAIA

THE *GYPSY GIRL* OF ZEUGMA

The *Gypsy Girl* is the picture of melancholy. Her hair is parted in the middle and she is wearing a hat. Her forehead is short, her face innocent, and her cheeks are round. Her eyes follow you as you walk around the room. At the time the mosaic was discovered, she was dubbed the "Gypsy Girl" because of her short forehead and hat. Some archeologists claim that it's a depiction of Alexander the Great because of the way the hair is parted, as well as because of the eyes and nose. Others think it's supposed to represent Gaia, the goddess of the Earth, while still others, pointing to the vines in the background, say that she is a maenad, a worshipper of Dionysus. Whoever she is, her sad countenance has become the symbol of Zeugma. This mosaic was found in the dining room of the House of the Gypsy Girl (Maenad) during excavations undertaken by the Gaziantep Museum in 2000.

THAÏLANDE

UN BAIN AU SOLEIL

DES ANIMAUX RARES ET NOMBREUX À LA FOIS

On trouve environ 170 millions de buffles d'eau sur la planète. Pourtant, ces animaux font partie de la liste des animaux en danger d'extinction selon l'Union internationale pour la conservation de la nature.

En réalité, la planète ne compte que sur 4 000 têtes de buffles d'eau à l'état sauvage, trouvés en Asie du Sud-Est.

Déjà disparu du Vietnam et du Laos, l'animal se fait rare en Thaïlande. On n'en compterait tout au plus qu'une cinquantaine d'individus, protégés dans le sanctuaire de Huai Kha Khaeng.

Le braconnage représente une menace pour cette population, de même que la proximité de leurs cousins domestiqués. Ces derniers sont des vecteurs de maladies et risquent aussi de transformer à jamais le patrimoine génétique de l'espèce s'ils venaient qu'à s'accoupler avec ses membres sauvages.

THAILAND

SUNBATH

ANIMALS BOTH RARE AND PLENTIFUL

There are an estimated 170 million water buffaloes on the planet. Yet these animals are on the endangered animal list, according to the International Union for Conservation of Nature.

In reality, the planet can count on only 4,000 wild water buffaloes, located in Southeast Asia.

Extirpated from Vietnam and Laos, it is now rare in Thailand. At most, there are only about 50 in the Huai Kha Khaeng Wildlife Sanctuary.

Poaching is one threat to wild water buffaloes; the proximity of their domestic cousins is another. The latter carry diseases and could also permanently change the gene pool of the species if wild and domestic animals were to interbreed.

CANADA | Arrondissement de Saint-Léonard, Montréal

LES AMBASSADEURS DES MOSAÏCULTURES INTERNATIONALES®

Dans le cadre des MIM2013, l'arrondissement de Saint-Léonard, à Montréal, a décidé de présenter l'œuvre qui s'est avérée en quelque sorte l'emblème des Mosaïcultures Internationales® partout au monde : *les Canards colverts*.

Créée lors de la première exposition des Mosaïcultures Internationales® tenue à Montréal en 2000, cette œuvre a parcouru le monde depuis 13 ans. De retour à Montréal, dans le cadre des MIM2003, nos canards ont ensuite participé aux Mosaïcultures Internationales® de Shanghai, en 2006 (MIS2006), et à celles de Hamamatsu, au Japon, en 2009 (MIH2009). Ils ne pouvaient pas manquer les MIM2013 !

Entre-temps, ils ont traversé l'Europe, les États-Unis et l'Asie.

Le colvert est le canard le moins farouche et il s'acclimate facilement à la vie urbaine, ce qui en fait un excellent ambassadeur pour les Mosaïcultures Internationales®.

CANADA | Saint-Léonard borough, Montréal

AMBASSADORS OF THE MOSAÏCULTURES INTERNATIONALES®

For MIM2013, the borough of Saint-Léonard, in Montréal, has chosen to present a work that in a sense has come to embody the Mosaïcultures Internationales® throughout the world: *The Mallard Ducks*.

Premiered during the first edition of the Mosaïcultures Internationales®, held in Montréal in 2000, this work has since travelled the world for 13 years. Back in Montréal for MIM2003, our ducks participated in the Mosaïcultures Internationales® of Shanghai in 2006 (MIS2006) and in those of Hamamatsu, Japan, in 2009 (MIH2009). They just had to be a part of MIM2013!

There were other stops along the way in Europe, the United States and Asia.

The mallard is the tamest of all ducks and easily adapts to an urban setting, making it a perfect ambassador for the Mosaïcultures Internationales®.

CHINE | Beijing

PLANTER DES PLATANES
POUR ATTIRER LE PHÉNIX

Dans l'ancienne légende chinoise, le Phénix est le roi des oiseaux. Il est encore aujourd'hui porte-bonheur et symbole de paix et d'harmonie. L'œuvre de mosaïculture est inspirée d'une belle ancienne légende chinoise — *Si l'on plante des platanes, c'est pour attirer le Phénix* — pour dire aux gens qu'avec le travail acharné sur la terre d'espérance, notre milieu de vie va devenir de plus en plus beau et notre vie de plus en plus heureuse. L'œuvre *Planter des platanes pour attirer le Phénix* interprète les actions positives de l'Homme sur son environnement, souligne la symbiose entre l'Homme et la nature et compose un mouvement musical harmonieux du développement durable. L'innovation de cette œuvre se situe dans l'utilisation des plantes à fleurs en miniature de bégonia pour illustrer le mieux possible le plumage multicolore du Phénix.

CHINA | Beijing

PLANTING PLANE TREES
TO ATTRACT THE PHOENIX

In ancient Chinese legend, the Phoenix is the king of birds. People today still consider it the bearer of happiness and a symbol of peace and harmony. This mosaiculture is inspired by a beautiful ancient Chinese legend—*Planting plane trees to attract the Phoenix*—to explain to people that through hard work on this planet of hope, the environment can become ever more beautiful and our happiness can grow. *Planting plane trees to attract the Phoenix* interprets humans' positive actions on their environment, highlights the symbiosis between Man and Nature, and creates a harmonious musical movement based on sustainable development. This work innovates through the use of miniature flowering begonia plants to depict the Phoenix's multicoloured plumage as effectively as possible.

PETIT POISSON-CLOWN ET ANÉMONE

Située au sud du Japon, donc en zone subtropicale, l'île d'Okinawa est entourée de récifs de corail.

L'œuvre que nous vous présentons a pour sujet la coexistence du poisson-clown et de l'anémone de mer, espèces que l'on peut observer dans la « mer de poissons tropicaux » de l'Aquarium Churaumi d'Okinawa. Dans l'espoir que la superbe mer d'Okinawa continue d'être un paradis pour les animaux marins, souhaitons que cette œuvre fasse naître dans tous les cœurs le souci de protéger la nature.

Et ce, non seulement sous l'eau, mais dans tous les écosystèmes, car ils sont tous liés. L'abondance des forêts, par exemple, contribue à la beauté de nos océans.

SMALL CLOWN FISH AND ANEMONE

Okinawa Island, located to the south of Japan, therefore in a subtropical area, is surrounded by coral reefs.

The coexistence of the clown fish and sea anemone, species which are visible in the "sea of tropical fish" at Okinawa's Churaumi Aquarium, is the subject of the work presented here. We hope that the incredible Sea of Okinawa will continue to be a paradise for fish, and that this work will generate in everyone's heart a concern for protecting nature.

And this, not only underwater, but in every ecosystem, because they are all linked together. Abundant forests, for instance, contribute to the beauty of our oceans.

L'EAU, SOURCE DE BEAUTÉ
WATER, THE SOURCE OF BEAUTY

LES PLAISIRS DU JARDINAGE
THE PLEASURES OF GARDENING

AIRE DE REPOS AVEC DES COLONNES EN PLANTES COMESTIBLES
REST AREA WITH COLUMNS MADE FROM EDIBLE PLANTS

CANADA | Montréal

NATURE EN VILLE

Une œuvre revêt de multiples facettes pour composer un espace urbain en harmonie avec la nature.

La *Nature en ville* combine murs verts, colonnes et sculptures végétales — composées de plantes comestibles et de fines herbes —, jardins potagers et jardins fleuris à des compositions artistiques de mosaïculture en 2D pour créer un espace convivial qui favorise les échanges entre humains, mais également les échanges entre l'homme et la nature.

Tous ces éléments structurent l'aire de services, où les visiteurs peuvent se reposer et se restaurer tout en prenant conscience de l'importance de la présence de la nature pour leur bien-être.

En collaboration avec la Fédération interdisciplinaire de l'horticulture ornementale du Québec.

CANADA | Montréal

NATURE IN THE CITY

The work has a multifaceted surface that forms an urban space in harmony with nature.

Nature in the City consists of green walls, plant-covered columns and sculptures made from edible greenery and herbs, vegetable gardens and flower gardens combined with two-dimensional mosaiculture artworks to create a welcoming space that promotes interaction among people as well as between man and nature.

These elements form a rest area where visitors can relax and have a bite to eat, while enhancing their awareness of how important nature is to their well-being.

In collaboration with the Fédération interdisciplinaire de l'horticulture ornementale du Québec.

CANADA

L'ARBRE AUX OISEAUX | THE BIRD TREE

Œuvre présentée par la Ville de Montréal et réalisée par Mosaïcultures Internationales de Montréal
A work presented by the City of Montréal and created by Mosaïcultures Internationales de Montréal

« Nous éliminons aujourd'hui plus de mille fois plus d'espèces qu'avant l'époque industrielle. Cette extinction massive, la sixième dans l'histoire de la Terre, l'humanité en est la cause. Elle pourrait en être la victime. »

HUBERT REEVES

L'équipe de Mosaïcultures Internationales de Montréal a déployé toute sa passion et toute son expertise dans la réalisation de *l'Arbre aux oiseaux*, qui est l'œuvre icône des MIM2013 et qui illustre le troisième sous-thème de la compétition : les espèces et écosystèmes menacés de la planète.

"Today, we are eliminating over a thousand times more species than we were before the industrial era. This extinction on a massive scale, the sixth such episode in Earth's history, is caused by man. And man could well be the victim."

HUBERT REEVES

The Mosaïcultures Internationales de Montréal team put all its passion and expertise into creating *The Bird Tree*, MIM2013's emblematic work and one that espouses the competition's third subtheme: Earth's endangered species and ecosystems.

L'ARBRE AUX OISEAUX (SUITE)

Les branches de *l'Arbre aux oiseaux* se métamorphosent en 56 espèces d'oiseaux alors que ses racines se changent en un kakapo (ou perroquet-hibou), qui est le seul perroquet qui ne vole pas, et en six espèces de batraciens et de reptiles. Toutes ces espèces d'oiseaux, de batraciens et de reptiles sont parmi les plus menacées de la planète selon la liste rouge de l'Union internationale pour la conservation de la nature. Du Québec, le pic à tête rouge et le pluvier siffleur font partie des espèces qui s'envolent de *l'Arbre aux oiseaux*, comme s'ils voulaient fuir l'extinction qui les menace et qui a déjà décimé l'eider du Labrador, le dodo ou encore la tourte.

Au pied de *l'Arbre aux oiseaux*, salamandre, tortue, grenouille, iguane naissent des racines pour défier le danger qui les menace.

Planté au milieu d'un bassin, pour symboliser les mangroves du Sundarban, écosystèmes côtiers d'une grande richesse biologique gravement menacés, *l'Arbre aux oiseaux* représente la nature sauvage que l'homme doit à tout prix préserver.

D'une hauteur de 16 mètres, avec une cime dont le diamètre totalise 18 mètres, la réalisation de cette œuvre a posé d'importants défis à l'équipe, notamment en ce qui concerne la structure, le choix des plantes et l'entretien.

La structure a été calculée par les ingénieurs pour permettre au tronc et aux branches de supporter plusieurs tonnes en raison du poids des oiseaux installés en porte-à-faux, l'étendue de leurs ailes frôlant facilement quatre mètres.

Le choix des plantes s'est heurté aux couleurs disponibles pour représenter le plumage de chacun des oiseaux, particulièrement les oiseaux bleus, puisque cette couleur n'est pas offerte dans les plantes de mosaïculture. Il a également fallu utiliser des espèces et variétés de plantes supportant l'ombre sous chaque oiseau.

L'arbre est pourvu d'anneaux d'ancrage, auxquels les horticulteurs chargés de l'entretien pourront fixer sangles, longes ou cordes permettant d'accrocher leurs harnais au moyen de mousquetons.

THE BIRD TREE (CONTINUED)

The Bird Tree's branches transform themselves into 56 bird species, while its roots change into a Kakapo (also referred to as an owl parrot, the only parrot unable to fly) and six species of amphibians and reptiles. All these species—birds, amphibians, reptiles—are among the most endangered on Earth, according to the International Union for Conservation of Nature's Red List. Québec's indigenous Red-headed Woodpecker and Piping Plover are some of the species shown flying away from *The Bird Tree*, as though they were trying to escape the extinction that threatens them and that has already decimated Labrador's Eider population and eliminated the Dodo and the Passenger Pigeon.

At the base of *The Bird Tree*, a salamander, a turtle, a frog and an iguana emerge from the roots in defiance of the threat they face.

Planted in the middle of a basin to symbolize the mangroves of Sundarban, coastal ecosystems of tremendous biological abundance that are seriously threatened, *The Bird Tree* represents nature in its wild state, something man must preserve at all costs.

The creation of this work—16 metres tall, with a crown 18 metres in diameter—proved challenging to the MIM team, particulary as concerns the structural aspect, the choice of plants and maintenance considerations.

Engineers determined the trunk and branches should be able to withstand several tons, given the weight of the birds positioned in a cantilevered manner, with wing spans easily reaching four metres.

The colours of the plants chosen had to match that of the plumage of each of the birds represented. Blue-coloured birds presented a particular challenge, as that colour is not found in mosaiculture plants. The team also chose species and varieties that could tolerate the shade under each bird.

The tree is equipped with tie-down rings, to which the horticulturists in charge of maintenance can attach straps, lanyards or ropes allowing them to fasten their harnesses by means of snap hooks.

LISTE DES OISEAUX — *L'ARBRE AUX OISEAUX*
LIST OF BIRDS—*THE BIRD TREE*

Ara hyacinthe
Hyacinth Macaw
Anodorhynchus hyacinthinus

Bernache à cou roux
Red-breasted Goose
Branta ruficollis

Vautour percnoptère
Egyptian Vulture
Neophron percnopterus

Amazone de Porto Rico
Puerto Rican Amazon
Amazona vittata

Pic à bec ivoire
Ivory-billed Woodpecker
Campephilus principalis

Nette à cou rose
Pink-headed Duck
Rhodonessa caryophyllacea

Conure à poitrine grise
Grey-breasted Parakeet
Pyrrhura griseipectus

Aigle de Java
Javan Hawk-Eagle
Nisaetus bartelsi

Phodile de Prigogine
Congo Bay-Owl
Phodilus prigoginei

Brève de Gurney
Gurney's Pitta
Pitta gurneyi

Pic à tête rouge
Red-headed Woodpecker
Melanerpes erythrocephalus

Pénélope siffleuse
Trinidad Piping Guan
Pipile pipile

Perruche à ventre orange
Orange-bellied Parrot
Neophema chrysogaster

Crabier blanc
Madagascar Pond-Heron
Ardeola idae

Perruche d'Ouvéa
Ouvea Parakeet
Eunymphicus uvaeensis

Grèbe mitré
Hooded Grebe
Podiceps gallardoi

Buse de Ridgway
Ridgway's Hawk
Buteo ridgwayi

Calao de Walden
Rufous-headed Hornbill
Aceros waldeni

Albatros des Galapagos
Waved Albatross
Phoebastria irrorata

Ara de Buffon
Great Green Macaw
Ara ambiguus

Cigogne orientale
Oriental Stork
Ciconia boyciana

Caïque de Fuertes
Fuertes's Parrot
Hapalopsittaca fuertesi

Martin-chasseur des Gambier
Tuamotu Kingfisher
Todiramphus gambieri

Ara de Lafresnaye
Red-fronted Macaw
Ara rubrogenys

Calao de Narcondam
Narcondam Hornbill
Aceros narcondami

Érismature à tête blanche
White-headed duck
Oxyura leucocephala

Condor de Californie
California Condor
Gymnogyps californianus

Gallicolombe de Negros
Negros Bleeding-heart
Gallicolumba keayi

Pie-grièche de Sao Tomé
Sao Tomé Fiscal
Lanius newtoni

Aigle de Florès
Flores Hawk-Eagle
Nisaetus floris

Conure soleil
Sun Parakeet
Aratinga solstitialis

Milan de Forbes
White-collared Kite
Leptodon forbesi

Perruche de Latham
Swift Parrot
Lathamus discolor

Lori arlequin
Red-and-blue Lory
Eos histrio

Harle de Chine
Scaly-sided Merganser
Mergus squamatus

Paon spicifère
Green Peafowl
Pavo muticus

Étourneau de Rothschild
Bali Myna
Leucopsar rothschildi

Grue du Japon
Red-crowned Crane
Grus japonensis

Conure dorée
Golden Parakeet
Guaruba guarouba

Petit duc d'Irène
Sokoke Scops-Owl
Otus ireneae

Ara canindé
Blue-throated Macaw
Ara glaucogularis

Ibis chauve
Northern Bald Ibis
Geronticus eremita

Amazone à tête jaune
Yellow-headed Parrot
Amazona oratrix

Oréophase cornu
Horned Guan
Oreophasis derbianus

Cacatoès à huppe jaune
Yellow-crested Cockatoo
Cacatua sulphurea

Tétras du Gunnison
Gunnison Sage-Grouse
Centrocercus minimus

Colombe à tête bleue
Blue-headed Quail-Dove
Starnoenas cyanocephala

Marabout argala
Greater Adjutant
Leptoptilos dubius

Pénélope à front noir
Black-fronted Piping-Guan
Pipile jacutinga

Ara de Spix
Spix's Macaw
Cyanopsitta spixii

Colombe de Geoffroy
Purple-winged Ground-Dove
Claravis godefrida

Chevêche forestière
Forest Owlet
Heteroglaux blewitti

Pluvier siffleur
Piping Plover
Charadrius melodus

Vautour indien
Indian Vulture
Gyps indicus

Kakapo
Kakapo
Strigops habroptilus

Pic d'O'Brien
Kaempfer's Woodpecker
Celeus obrieni

LISTE DES REPTILES ET DES AMPHIBIENS — *L'ARBRE AUX OISEAUX*
LIST OF REPTILES AND AMPHIBIANS—*THE BIRD TREE*

Neurergus empereur
Emperor Spotted Newt
Neurergus kaiseri

Dendrobate de Lehmann
Lehmann's Poison Frog
Oophaga lehmanni

Crocodile de Cuba
Cuban Crocodile
Crocodylus rhombifer

Iguane des Fidji
Fijian Crested Iguana
Brachylophus vitiensis

Tortue boîte d'Asie
Indochinese Box Turtle
Cuora galbinifrons

YÉMEN

DISPARAÎTRE DANS LA NATURE

Situé à l'ouest de l'Arabie Saoudite, le Yémen, connu surtout pour ses grandes plaines arides, compte pourtant une faune et une flore très riches. On trouve au Yémen environ 1 800 espèces végétales.

Des forêts du Yémen, autrefois luxuriantes, ne subsistent que quelques groupes d'arbres en bordure des rivières. Précurseur dans la culture du café, le Yémen en fut le seul exportateur jusque vers 1750. Mais la plante la plus prisée des Yéménites demeure le qat, dont les feuilles procurent un effet euphorisant et stimulant.

Le Yémen recèle plus de 360 espèces d'oiseaux. Son littoral regorge de crabes, de crevettes, de langoustes, de concombres de mer et de méduses. Victimes de la chasse, les mammifères sauvages (léopards, gazelles, antilopes) ont disparu. Restent les bêtes domestiques : dromadaires, chameaux, chèvres, bœufs, ânes, chiens et chats. Parmi les 40 espèces de serpents, 14 sont venimeuses. Les autres reptiles (varan, gecko) sont beaucoup plus paisibles.

YEMEN

DISAPPEARING INTO NATURE

The Republic of Yemen lies south of Saudi Arabia. Known for its sweeping arid plains, the country nonetheless boasts a rich diversity of wildlife and vegetation, including some 1,800 indigenous plant species.

As for Yemen's forests, once lush, only pockets of trees now line the riverbanks. A pioneer of coffee cultivation, Yemen was the only nation to export the commodity until the mid-1700s. Still, Yemenites' favourite plant remains the qat, a stimulant whose leaves yield a euphoric sensation.

Yemen is home to more than 360 bird species. Its shoreline is teeming with crab, shrimp, crayfish, sea cucumber and jellyfish. Fallen to hunters, wild mammals (the leopard, the gazelle, the antelope) have disappeared, leaving only beasts of burden and house pets: dromedaries, camels, goats, oxen, donkeys, dogs and cats. Among the 40 species of serpents present, 14 are poisonous. Other reptiles, such as monitor lizards and geckos, are much calmer.

LA TERRE, NOTRE MAISON
UNE ŒUVRE COLLECTIVE

Planter ensemble ! Voir pousser les idées, bien au-delà
des frontières. Comprendre que la Terre est notre maison,
la seule que nous ayons. C'est le propos de cette œuvre
qui est plus qu'un objet de contemplation. Ici, on met
les mains dans la terre, on s'implique et on envoie un
message clair : chaque petit geste compte.

Au Jardin botanique, un Espace pour la vie, nous sommes
convaincus que si nous faisons germer le sentiment
profond que le bien-être de l'espèce humaine est
intimement relié au bien-être des autres espèces, il est
possible d'engager un mouvement positif pour la nature.

Comment ? En conjuguant ensemble une multitude de
gestes : je récupère les eaux de pluie, tu recycles ton
papier, il sème des plantes indigènes, nous récupérons le
bois pour nos besoins en construction, vous faites le choix
du développement économique durable, ils recyclent
les vêtements d'enfants, je réfléchis avant d'acheter, tu
manges local, elle roule en vélo...

Et si la préservation de la nature devenait notre œuvre
collective, à la manière de cette mosaïculture dont nous
sommes les auteurs ?

THE EARTH, OUR HOME
A JOINT WORK OF ART

Sowing and growing together. Seeing ideas blossom,
unbounded. Realizing that the Earth is our home—the only
home we have. This is the underlying message of this
thought-provoking and conscious-raising work. It is an
opportunity to get your hands dirty, get involved and get
a clear message out there that every single action counts.

At the Botanical Garden, a Space for Life, we
firmly believe that by planting the seed that the
welfare of the human race is intrinsically linked
to that of other species, we can be a positive force
for nature conservation.

How? By thinking globally and acting locally. By harvesting
rainwater, recycling paper, growing indigenous plants,
reusing wood in construction projects, embracing
sustainable economic development, giving gently used
children's clothing a second life, making smart shopping
decisions, eating locally grown food, biking instead of
driving... and that's only the beginning.

Just imagine what we can achieve if we all pitch in
and make the Earth our joint work of art, just like this
collective sculpture!

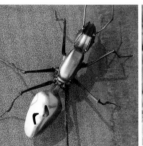

LE JARDIN DE VERRE ET DE MÉTAL

Conçu et réalisé par Albert Mondor, horticulteur bien connu du public, et son équipe, le *Jardin de verre et de métal* est un aménagement paysager composé de verre recyclé et d'acier récupéré. En plus des sentiers de verre concassé, d'un mur de bouteilles de verre récupérées et des diverses structures d'acier chromées ou rouillées constituant la charpente de cet aménagement, on y trouve des végétaux dont les fleurs et les feuilles argentées, grises, orange, brunes ou pourpres rappellent les divers états de l'acier, tantôt rutilant, tantôt oxydé. À la demande de M. Mondor, l'artiste soudeur Jeffrey McDonald y a également intégré de magnifiques insectes et oiseaux métalliques qui ajoutent une touche théâtrale à l'ensemble.

Ce jardin a été conçu comme une progression à travers un univers où le temps fait son œuvre en broyant et en polissant les bouteilles de verre et en rouillant peu à peu les structures qui le composent.

CANADA | Montréal

THE GARDEN OF GLASS AND METAL

Designed and created by Albert Mondor, a well-known horticulturist public figure, and his team, the *Garden of Glass and Metal* is a landscaping design made of recycled glass and reclaimed steel. In addition to pathways of crushed glass, a wall of reclaimed glass bottles and various chrome or rusted steel structures that make up the frame of this structure, there is also plant life, including flowers and silver, grey, orange, brown and crimson leaves, reflecting the various phases of steel, both shiny and oxidized. At Mr. Mondor's request, artist-welder Jeffrey McDonald also included magnificent metallic insects and birds, which add a theatrical touch to everything.

This garden was designed to show a progression towards a universe where time has done its work by breaking down and polishing the glass bottles and by rusting, little by little, the structures that compose it.

BOULEVERSEMENTS

L'ABEILLE, SOURCE DE VIE

« Si l'abeille disparaissait du globe, l'homme n'aurait plus que quatre ans à vivre. »
— ALBERT EINSTEIN

Des études démontrent que les colonies d'abeilles sont en décroissance en raison de certains facteurs, dont les changements climatiques, la diminution des espèces de plantes à fleurs, les dommages causés aux insectes par les pesticides et la pollution atmosphérique. Nous pouvons remédier à cette situation.

LA SOLUTION : RECRÉER LA BIODIVERSITÉ

Le retour des abeilles dans nos champs passe notamment par la restauration des habitats des pollinisateurs et de leur environnement par les agriculteurs.

Il faut également miser sur la diversification des cultures pour combattre les insectes nuisibles. Les jardins et parcs naturels devraient également demeurer exempts de pesticides pour offrir aux abeilles une variété et une quantité de plantes à fleurs, sources inestimables de pollen et de nectar.

Donnons à nos enfants l'environnement auquel ils ont droit.

UPHEAVAL

BEES—A SOURCE OF LIFE

"If the bee disappeared off the face of the earth, man would have only four years left to live."
— ALBERT EINSTEIN

Studies show that colonies of bees are on the decline due to climate change, the decreasing numbers of flowering plant species, the damage caused to insects by pesticides and air pollution as well as other factors. But we can remedy this situation...

THE SOLUTION: RECREATE BIODIVERSITY

How do we get bees back to our fields? One way, in particular, is for agricultural producers to restore the habitats of pollinators and their environment. Another way is through crop diversification, in order to fight harmful insects. Gardens and natural parks should also remain pesticide-free, so as to provide bees with a variety and quantity of flowering plants—inestimable sources of pollen and nectar.

Let's give our children the environment they are entitled to have...

AU FIL DE L'EAU

Xochimilco (prononcé « Sotchimilco »), arrondissement de la ville de Mexico situé dans la portion sud de celle-ci, est une région que l'on surnomme la Venise mexicaine. Elle fait partie du patrimoine mondial de l'humanité de l'UNESCO depuis 1987 en raison de sa valeur culturelle et de ses extraordinaires caractéristiques naturelles. Le gouvernement de la ville de Mexico a mis en place des mesures pour protéger l'environnement de cette réserve naturelle afin de permettre aux visiteurs de s'adonner à une visite guidée écologique et culturelle et de visiter le parc écologique à proximité. Celui-ci les renseignera sur des projets de conservation de la flore et de la faune endémiques d'une des plus importantes zones humides de la métropole.

L'œuvre présentée en collaboration avec le Conseil de promotion touristique du Mexique montre une *trajinera,* une curieuse barque haute en couleur à bord de laquelle les touristes peuvent monter pour découvrir les canaux qui sillonnent Xochimilco.

GO WITH THE FLOW

Xochimilco (pronounced "Sotchimilco"), a southern borough of Mexico City, is often referred to as the Venice of Mexico. It has been a UNESCO World Heritage Site since 1987 because of its cultural significance and its spectacular natural features. Mexico City's administration has introduced measures to protect the environment of this natural reserve so visitors can enjoy a guided ecological and cultural tour and visit the nearby ecological park that explains current initiatives for preserving the indigenous flora and fauna of this region, one of the city's most important wetlands.

The work is presented in collaboration with the Mexico Tourism Board and shows a *trajinera,* an odd-looking, brightly coloured wooden boat aboard which tourists may discover Xochimilco's winding canals.

S'ÉPANOUIR

S'ÉPANOUIR DANS UNE VILLE VERTE ET BLEUE

« Un cadre de vie préservé en adéquation avec notre vision d'avenir. C'est Repentigny aujourd'hui et demain. Une ville à dimension humaine qui jouit d'un riche patrimoine naturel et d'une exceptionnelle diversité des milieux. Pensons au fleuve Saint-Laurent et à ses îles, à la rivière L'Assomption, mais aussi aux nombreux parcs et espaces verts. Ce sont ces paysages emblématiques qui contribuent en grande partie à faire de notre grande ville unifiée un lieu par excellence où s'enraciner et s'épanouir ! »

— CHANTAL DESCHAMPS
  MAIRESSE

Cette sculpture végétale place la famille au premier plan d'une ville verte où l'eau fait partie intégrante de l'environnement. Comme pièce maîtresse de l'œuvre se trouve un pont, tel un passage entre le passé et l'avenir, unissant les idées et les générations.

Arboriser les rues et verdir la ville pour lutter contre les îlots de chaleur, protéger les berges et ainsi permettre le maintien de la biodiversité, c'est répondre aux besoins des générations actuelles et futures.

TO BLOSSOM

TO BLOSSOM IN A CITY OF GREEN AND BLUE

"A place to live that is in keeping with our vision for the future. That is the Repentigny of today and tomorrow. A city on a human scale, delighting in its abundant natural heritage and exceptional ecological diversity. The St. Lawrence River and its islands spring to mind, as does the L'Assomption River, but there are the numerous parks and green spaces too. These landscapes shape the identity of our city, give it unity, and play a major role in making Repentigny an ideal place to lay down roots and in which to blossom!"

— CHANTAL DESCHAMPS
  MAYOR

This plant sculpture puts the family at the forefront of a green city where water plays a central role. The centrepiece of the work is a bridge that serves as a symbolic link between past and present, uniting ideas and generations alike.

Planting trees along the streets and otherwise greening the city to counter heat islands, and safeguarding our shores to preserve biodiversity are measures that meet the needs of current and future generations.

LA SALAMANDRE SELON GAUDÍ

L'œuvre présente une salamandre, un motif populaire en Catalogne. On trouve cette salamandre au parc Güell, qui se trouve à Barcelone, capitale de la Catalogne. Ce parc fait partie du Patrimoine mondial de l'UNESCO, comme toutes les œuvres d'Antoni Gaudí, célèbre architecte catalan. Le parc constitue le plus important aménagement paysager patrimonial de tout le sud de l'Europe. Il a été conçu et construit de 1900 à 1914. L'escalier dans lequel est sertie la salamandre de Gaudí symbolise la diversité de la Catalogne, ses citoyens, sa personnalité et ses paysages. La salamandre multicolore représente, de plusieurs façons, la diversité de la culture catalane et la riche biodiversité de ses paysages, lesquels s'étendent des montagnes à la mer dans une mosaïque complexe de verts, de rouges, de jaunes et de bleus.

THE SALAMANDER ACCORDING TO GAUDÍ

This work depicts a salamander, a popular motif in Catalonia. This particular salamander graces Güell Park in Catalonia's capital city, Barcelona. The park is the largest heritage landscape work in all of southern Europe and a UNESCO World Heritage Site, as are all the works by famous Catalan architect Antoni Gaudí; it was designed and built from 1900 to 1914. Gaudí's salamander is sited in a stairway that symbolizes the diversity of Catalonia, its citizens, personality, and landscapes. In various ways, the multicoloured salamander represents the diversity of Catalonia's culture and the rich biodiversity of its landscapes, which spill down from the mountains to the sea in a complex mosaic of greens, reds, yellows and blues.

FRANCE | Département de la Moselle

SOUVENIRS D'UN DÎNER LORSQUE NOUS ÉTIONS GAMINS...

Nous devons nous assurer que nos enfants bénéficient des mêmes avantages, des mêmes environnements que ceux que nous avons hérités de nos parents ; il s'agit là d'une bataille que nous devons mener au quotidien...

Plongez-vous aujourd'hui dans les souvenirs des habitants de la Moselle, lorsqu'enfants ils avaient la chance de goûter à des produits simples, mais tellement délicieux : là quelques fraises, quelques framboises, ailleurs une salade agrémentée de délicieuses fleurs, plus loin une tomate juteuse cultivée au fond du jardin...

Nous vous invitons à protéger ce patrimoine précieux que sont les goûts et les saveurs de nos fruits, de nos légumes : les saveurs de notre terroir...

En Moselle, depuis de nombreuses années, le Conseil général (l'institution locale) préserve cette richesse et assure la promotion de ces artisans qui, comme beaucoup partout au monde, cultivent l'authenticité de leurs territoires, de leurs terroirs...

La Moselle, territoire d'espérance...

FRANCE | Departement of Moselle

MEMORIES OF A CHILDHOOD DINNER

We must provide our children the same quality of life and the same natural surroundings handed down to us by our parents. To do so will be a daily struggle...

Immerse yourself in the memories of Mosellans who as children experienced the pleasures of savouring simple yet oh-so-delicious products: here some strawberries, raspberries, there a salad spruced up with tasty flowers, or a juicy tomato straight from the garden...

We urge you to protect this precious heritage made of the tastes and flavours of our fruits and vegetables, which are the very essence of our land...

The local administration of Moselle has for many years seen to the preservation and promotion of these artisans and craftspeople who, like many of their peers around the world, value the authenticity of their territories and lands...

Moselle, a land of hope...

CANADA | Trois-Rivières

LE PONT

Jadis, il y avait d'un côté la nature avec sa végétation, ses écosystèmes et ses niches écologiques. C'était la vie colorée et apaisante. De l'autre, l'Homme a repoussé la nature pour implanter, avec ses structures froides et son rythme de vie accéléré, un milieu de vie urbain, lequel constitue pour lui une priorité en raison des avantages industriels et économiques qu'il apporte.

Aujourd'hui, l'Homme fait un pont entre ces deux espaces vitaux. Il joint l'utile à l'agréable en laissant la nature reprendre une place dans sa ville. Il comprend enfin l'intérêt que la nature peut avoir pour lui : la beauté du paysage, l'amélioration de la qualité de vie, la diminution de la pollution et des îlots de chaleur, notamment.

Demain, ces deux mondes si différents seront en parfaite harmonie.

CANADA | Trois-Rivières

THE BRIDGE

In days gone by, there was nature on one side, with its vegetation, ecosystems and ecological niches providing for a peaceful and colourful life. On the other side, there were humans, who had pushed back nature to build an urban environment marked by cold, impersonal structures and a hectic pace of life, a transformation driven by industrial and economic imperatives.

Today, humans have built a bridge between these two vital spaces, thus connecting the useful with the pleasurable while letting nature reclaim its place within the city. They finally realize the important contributions nature can make to their city life: beautifying the landscape, improving the quality of life, curbing pollution, and reducing the number of heat islands.

Tomorrow, these two very different worlds will live together in perfect harmony.

CANADA

NANUK

Œuvre inspirée par les sculpteurs inuits de
Cape Dorset, Nunavut, et réalisée par Mosaïcultures
Internationales de Montréal

Nanuk est le nom donné à l'ours polaire en inuktitut.

L'ours polaire présenté ici a été inspiré par les sculptures
d'ours dansants que réalisent les artistes inuits de Cape
Dorset, au Nunavut.

L'ours dansant est une image très fréquente de la sculpture
inuite. La symbolique associée à cette représentation repose
sur la joie de vivre et sur la lourde responsabilité de la vie.

Dans sa danse, l'ours est totalement concentré dans la
passion de ce qu'il fait, le nez en l'air, tant pour humer
le temps qu'il fait que pour dire son extase de vivre. En
équilibre instable sur l'une de ses larges pattes, il s'apprête
à frapper le sol le plus lourdement possible pour exprimer
sa joie.

Par sa danse, il nous dit :
*« Ma danse exprime la joie du poids de la vie, de la responsabilité
de la vie, mais je suis encore tellement gauche, si imparfait à faire
la danse que je risque de tomber et de vous écraser avec le poids
de ce que je dois porter.*

*Mais peu importe ma peur, dansons, chacun à notre manière.
Il faut dire la vie ! »*

Cette œuvre a quelque chose de dramatique puisque
Nanuk danse la Vie alors que sa vie est menacée par la
fonte des glaciers !

CANADA

NANUK

A work inspired by the Inuit sculptors
of Cape Dorset, Nunavut, and created by
Mosaïcultures Internationales de Montréal

Nanuk is the Inuktitut name for the polar bear.

The polar bear depicted here was inspired by the
sculptures of dancing bears made by the Inuit artists
of Cape Dorset, Nunavut.

The dancing bear is a recurring image in Inuit sculpture.
He symbolizes at once the joy and burden of life.

As he weaves his dance, the bear is utterly and
passionately in the moment, his nose held aloft both to
sense the weather and to express the sheer ecstasy of
living. Balancing precariously on one of his large paws,
he readies himself to stomp the ground as hard as
possible in an affirmation of joy.

Through his dance, the bear tells us:
*"My dance expresses the joy inherent in the burden of life, the
responsibility of life, and yet I am still so clumsy and such a
flawed dancer that I risk falling and crushing you with the weight
I must bear.*

*But despite my fear, let us dance, each in his or her own manner.
Life must express itself!"*

The work's poignancy lies in Nanuk's performing his
dance of Life even as his own life is threatened by the
melting of the ice caps!

ÉTATS-UNIS | San Luis Obispo, Californie

CES FERMIERS QUI NOURRISSENT LA PLANÈTE !

California Polytechnic State University

L'État de Californie est le premier producteur agricole des États-Unis. Les agriculteurs de la Californie nourrissent le monde. La diversité climatique de cette région permet une grande variété de cultures : raisins, olives, blé, riz, laitue, une variété de fruits et de noix... et presque tous les légumes imaginables. De génération en génération, les agriculteurs ont joué le rôle de gardiens de l'environnement. Depuis des siècles, ils cultivent et protègent nos terres. Cette exposition rend hommage aux traditions et au savoir transmis au fil des générations. La relation de symbiose entre l'homme et la nature n'aurait pu se perpétuer sans le respect et la saine gestion des terres. La faculté d'agriculture de la California Polytechnic State University, à San Luis Obispo, est la plus reconnue en Californie, en raison de la formation qu'elle offre. Cette dernière, basée sur l'apprentissage par la pratique, permet de former des chefs de file en agriculture. L'avenir du monde repose sur l'enseignement des bonnes pratiques agricoles, harmonisées avec la nature, qui permettent une meilleure gestion des terres et de la production agroalimentaire, dans une perspective de développement durable.

UNITED STATES OF AMERICA | San Luis Obispo, California

FARMERS: THE PEOPLE WHO FEED THE WORLD

California Polytechnic State University

California is the largest food-producing region within the United States of America. California farmers are People who Feed the World. Diverse climates throughout California make it possible to produce a huge abundance of crops: grapes, olives, wheat, rice, lettuce, an array of fruits and nuts... and nearly every vegetable imaginable. Generations of farmers have been stewards of the environment, people who have tilled and protected the land for centuries. This exhibit reflects knowledge and traditions that have been passed down among generations. The symbiotic relationship between humans and nature could not be sustained without respectful stewardship of land. California Polytechnic State University, San Luis Obispo, is the leading agricultural university in California for providing hands-on experiences that train agricultural leaders. The teaching of practical farming methods that harmonize with nature and ensure the sustainability of our land and food production is a cornerstone of the future world.

CARREFOUR INTERNATIONAL QATAR AIRWAYS COMMANDITAIRE PRÉSENTATEUR

Le Carrefour international Qatar Airways a été dressé dans l'une des serres du Jardin botanique de Montréal située à l'extrémité du parcours de mosaïculture de 2,2 km. Au Carrefour, les visiteurs sont invités à en apprendre davantage sur les pays participants et leurs œuvres, ainsi qu'à voter pour leur œuvre préférée dans le cadre du concours Grand Prix du public Qatar Airways.

Sous la thématique « voyager », de grandes valises et une mappemonde en mosaïculture de même qu'un mur de portraits mettent en vedette des artistes horticulteurs en provenance de partout.

QATAR AIRWAYS INTERNATIONAL HUB PRESENTING SPONSOR

Qatar Airways International Hub was built in one of the Montréal Botanical Garden greenhouses located at the end of the 2.2-kilometre mosaiculture circuit. At the Hub, visitors can learn more about the participating countries and their works and vote for their favourite work as part of the Qatar Airways People's Choice Award competition.

Under the theme of "travel", large mosaiculture suitcases, a mosaiculture world map and a wall of portraits showcase horticultural artists from around the world.

LA CRÉATION D'UNE ŒUVRE
L'ARBRE AUX OISEAUX

AN ARTWORK MAKING OF
THE BIRD TREE

FICHE TECHNIQUE		SPECIFICATIONS	
DIMENSIONS	18 m (diamètre) X 16 m (hauteur)	DIMENSIONS	18 m (diameter) X 16 m (height)
POIDS	100 tonnes métriques	WEIGHT	100 metric tons
LES PLANTES	300 000	THE PLANTS	300,000
L'ARBRE	150 pièces	THE TREE	150 pieces
LES OISEAUX	56	THE BIRDS	56
LES BRANCHES	14	THE BRANCHES	14

UN OISEAU S'ENVOLE

Tout commence par une idée. Alors que Lise Cormier, présidente des Mosaïcultures Internationales de Montréal, rêve depuis longtemps d'un envol d'oiseaux tombe la liste rouge des espèces d'oiseaux menacées de l'Union internationale pour la conservation de la nature. L'art rencontre brusquement l'urgence environnementale. L'idée d'un *Arbre aux oiseaux* est née et devient, sous les doigts de la conceptrice artistique, une œuvre monumentale, extravagante et saturée de défis techniques.

A BIRD TAKES FLIGHT

Everything starts with an idea. Lise Cormier, President of the Mosaïcultures Internationales de Montréal, had dreamed of a bird taking flight for many years; then one day, the International Union for the Conservation of Nature's Red List of threatened bird species falls into her lap. Art meets an environmental emergency head-on. The idea of a *Bird Tree* is born and culminates, under the artistic touch of its designer, in a monumental, extravagant work that is fraught with technical challenges.

ÉTAPE 1   LE DESIGN ET LA CONCEPTION | ... 2012 !

Il faudra donc des croquis, des modélisations, des maquettes de travail et bien des calculs pour valider la faisabilité du concept et mettre au point les premiers choix techniques.

ÉTAPE 2   LA STRUCTURE | Avril à juin 2012

Équilibrer 14 branches, toutes de portée et de poids différents, reposant sur un pilier central au diamètre restreint, puis concevoir une structure dont le poids maximal se situe en périphérie. Voilà de quoi occuper les ingénieurs qui ont travaillé à la conception de *l'Arbre aux oiseaux*. La hauteur et le poids étant des enjeux majeurs, on a préféré l'aluminium, plus léger, pour construire les 56 oiseaux de l'œuvre. La structure centrale, quant à elle, demeure en acier.

Une fois la structure et les plans établis, les soudeurs prennent le relais. Leur travail ? Bâtir l'armature métallique de chaque pièce, un squelette de 150 morceaux qui sera assemblé, plus tard, sur le terrain.

Saviez-vous que des sculpteurs spécialisés dans le travail de l'aluminium ont créé la forme de chaque oiseau avant qu'il ne reçoive son armature ? Ils ont aussi sculpté ou martelé puis peint les têtes, les becs ainsi que les plumes métalliques qui bordent les ailes de ces splendides créatures.

ÉTAPE 3   LE REMPLISSAGE ET L'IRRIGATION | Mars 2013

Le remplissage de *l'Arbre aux oiseaux* suit les règles de l'art : on recouvre et remplit la structure simultanément. Une partie de la membrane est attachée, bien tendue, dans le bas de la structure. La section enveloppée est remplie d'un terreau très léger et humide qui sera compacté pour éviter l'affaissement. L'opération est répétée autant de fois qu'il le faut.

Pour l'irrigation, c'est une autre affaire ! Du haut de ses 16 mètres, l'arbre est fortement exposé au soleil et au vent. Un système d'irrigation a donc été positionné en surface, mais aussi à l'intérieur de chaque pièce. On trouve jusqu'à huit valves par oiseau, toutes munies d'un régulateur de pression.

Saviez-vous qu'un système d'irrigation goutte à goutte a été privilégié, car il limite les pertes d'eau ? Écoresponsabilité oblige !

ÉTAPE 4   LA PLANTATION | Avril 2013

Minutieusement choisies, comme sur la palette d'un peintre, les plantes sont en production depuis l'automne 2012. La plupart des espèces et des cultivars utilisés en mosaïculture sont des végétaux à feuillage coloré et à texture fine sélectionnés pour leur densité et leur tolérance à la taille.

Au moment de planifier la plantation, les horticulteurs se préoccupent des besoins en lumière de chaque plante. Même si le site de *l'Arbre aux oiseaux* est dégagé, certaines portions des pièces sont peu exposées à la lumière. La superposition des oiseaux accentue également les zones d'ombrage. Il faut donc planter la bonne plante au bon endroit, selon ses besoins. Le printemps venu, la plantation a lieu en serre ou sur le site.

Saviez-vous qu'il a été fort compliqué de reproduire le plus fidèlement possible la variété de couleurs du plumage de chaque espèce ? Rares sont les plantes au feuillage bleu ou blanc remplissant les critères d'une mosaïculture. Les élues ? Pour le bleu, *Santolina rosmarinifolia* et, pour le blanc, *Helichrysum* « Silver spike ».

ÉTAPE 5   L'ENTRETIEN | Été 2013

Si l'on veut conserver la qualité de l'œuvre, il faut arroser, nettoyer et tailler régulièrement sinon constamment les plantes. Pour entretenir cette œuvre gigantesque, les horticulteurs utilisent deux nacelles (27,4 m et 18,3 m, soit 90 et 60 pieds) ainsi que du matériel d'émondage (cordes, harnais, mousquetons, etc.). Les nacelles rejoignent 80 % des plantes. Pour le reste, les horticulteurs doivent se hisser le long de la structure. De véritables jardiniers-grimpeurs !

Saviez-vous que les jardiniers-grimpeurs deviendront ensuite pêcheurs ? Eh oui, il faut aller retirer tous les rejets de taille du bassin pour que le spectacle soit parfait !

ÉTAPE **1**
STEP

ÉTAPE **2**
STEP

STEP 1 DESIGN AND CONCEPTION | … 2012!

Sketches, models, working mock-ups, countless calculations… All are necessary to demonstrate the feasibility of the concept and to make the initial technical choices.

STEP 2 BUILDING A STRUCTURE | April to June 2012

The structure calls for 14 branches of varying dimensions and weight to be connected at different heights to a central pillar of limited diameter. Since most of the weight is carried by the ends of the branches, the team of engineers opts for the use of lightweight aluminum in the construction of the work's 56 birds, while the pillar is made of steel.

With the plans drawn up and the structure in place, a team of solderers takes over to build the metal framework for each bird. In all, there will be 150 separate parts, which will be assembled on-site at a later date.

Did you know that sculptors who specialize in working with aluminum created the form of each bird before it was joined to the framework? They also sculpted and painted the heads and beaks, as well as the metallic feathers that line these magnificent creatures' wings.

STEP 3 FILLING AND IRRIGATION | March 2013

The work's structure is covered and filled at the same time, as is customary practice in mosaiculture art. One end of the membrane is attached to the base of the structure, then stretched taut. The wrapped section is filled with light, humid soil that is compacted to avoid uneven settling. This operation is repeated as many times as necessary.

Irrigation is a whole other matter. At the top of its 16 metres, the tree is highly exposed to sun and wind. An irrigation network therefore waters the surface as well as the inside of each piece. There are eight valves per bird, each equipped with its own pressure regulator.

Did you know that a drip irrigation system was chosen because it reduces water loss? That's thinking green among the greenery!

STEP 4 PLANTING | April 2013

The plants are as carefully chosen as the colours on a painter's palette and have been growing since fall 2012. Most of the species and cultivars used in mosaiculture present colourful and finely textured foliage, and are selected for their compactness and tolerance to trimming.

When planning the planting process, the team of horticulturists must take into account the plants' differing light requirements. Even though the *Bird Tree* site is in the open, some sections of the pieces receive little light. The way the birds are layered also creates additional shaded areas. The right plant must therefore be planted in the right spot, according to its needs. Come the arrival of spring, planting takes place in a greenhouse or on-site.

Did you know that it was incredibly complicated to reproduce as faithfully as possible all the colours of each species' plumage? For instance, plants with blue or white foliage are rarely suitable for use in mosaiculture. For this work, *Santolina rosmarinifolia* was chosen for blue, and *Helichrysum* "Silver spike" for white.

STEP 5 MAINTENANCE | Summer 2013

Preserving the appearance of the work requires regular watering, cleaning up and trimming of the plants at the top of the tree. To maintain this gigantic artwork, horticulturists use 60- and 90-foot-tall aerial ladder trucks, as well as pruning equipment (ropes, harnesses, snap hooks, etc.). The ladder trucks can reach 80% of the plants. For the rest, the members of the maintenance team have to hoist themselves up and across the structure. They're real gardener-climbers!

Did you know that the gardener-climbers then become fishers? Well, they do, because to keep up appearances, they have to fish out all the cuttings that fall down into the pool!

LISTE DES PLANTES UTILISÉES
LIST OF PLANTS USED

ALTERNANTHERA

Alternanthera amonea
'Brillantissima'

Alternanthera bettzickiana
'Aurea'

Alternanthera bettzickiana
'Rubra'

Alternanthera bettzickiana
'True yellow'

Alternanthera brasilliana
'Little ruby'

Alternanthera cromatela
'Allumette brune'

Alternanthera cromatela
'Rubra'

Alternanthera dentata
'Brazilian red hots'

Alternanthera dentata
'Purple knight'

Alternanthera ficoïdea
'Knox'

Alternanthera ficoïdea
'Rosea nana'

Alternanthera ficoïdea
'Vert'

Alternanthera magnifica
'Aurea'

Alternanthera
paronychioïdes 'Aurea'

Alternanthera
paronychioïdes 'Rubra'

Alternanthera rosea

Alternanthera sessilis
'Rubra'

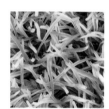
Alternanthera sp.
'Fine true yellow'

Alternanthera sp.
'Allumette rouge'

Alternanthera sp.
'Allumette verte'

Alternanthera ficoïdea
'Christmas tree'

Alternanthera sp.
'Crinkle red'

Alternanthera sp.
'Grosses feuilles rouges'

Alternanthera sp.
'Grosses feuilles vertes'

Alternanthera sp.
'Le Carbet'

Alternanthera sp.
'Multicolor'

Alternanthera sp.
'Petites feuilles rouges'

Alternanthera sp.
'Petites feuilles vertes'

Alternanthera sp.
'Red Carpet'

Alternanthera sp.
'Rouge de Montréal'

Alternanthera sp.
'Rouge Italienne'

Alternanthera tricolor
'Rosea'

Alternanthera ficoïdea
'Grenadine'

ECHEVERIA

Echeveria desmetiana
'Glauca'

Echeveria
gibbiflora X potosina

Echeveria runyonii
'Topsy turvy'

Echeveria secunda
'Glauca'

Echeveria sp.
'Vert'

IRESINE

Iresine herbstii
'Acuminata'

Iresine herbstii
'Aureo-reticulata'

Iresine herbstii
'Carminata'

Iresine herbstii
'Panaché de Bailly'

Iresine herbstii
'Wallisii'

SANTOLINA

Santolina
chamaecyparissus

Santolina chamaecyparissus
'Tomentosa'

Santolina rosmarinifolia
'Sélection bleue'

Santolina virens

SEDUM

Sedum linearis

Sedum linearis
'Albo marginata'

Sedum linearis
'Crème'

Sedum morganianum

Sedum nussbaumerianum

Sedum spurium
'Tricolor'

AUTRES | OTHERS

Ajuga reptans
'Chocolat chip'

Begonia semperflorens
'Ambassador blanc'

Begonia semperflorens
'Ambassador rouge'

Coleus sp.
'Tiny red toes'

Dichondra argentea
'Silver falls'

Duranta erecta
'Lemon Lime'

Ficus pumila

Helichrysum microphyllum
'Silver mist'

Helichrysum
thianschanicum 'Icicles'

Helichrysum thianschanicum
'Silver spike'

Hemigraphis alternata
'Exotica'

Hemigraphis repanda

Hypoestes sanguinolenta
'Splash select rose'

Hypoestes sanguinolenta
'Splash select blanc'

Hypoestes sanguinolenta
'Splash select pink'

Lysimachia numularia
'Aurea'

Microsorum
scolopendrium

Ophiopogon japonicus

LISTE DES PLANTES UTILISÉES
LIST OF PLANTS USED

AUTRES | OTHERS

Ophiopogon nigrescens

Oregano vulgare
'Aureum'

Perilla frutescens

Pilea libanensis

Selaginella kraussiana

Selaginella kraussiana
'Gold trip'

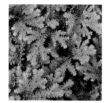

Selaginella uncinata

Senecio herreianus

Senecio mandraliscae
'Blue'

Thymus serpyllum
'Magic carpet'

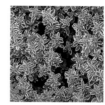

Thymus X citriodorus
'Gold edge'

Thymus X citriodorus
'Silver edge'

Graptosedum sp.
'Vera Higgins'

PLANTES D'ACCOMPAGNEMENT | SIDE PLANTS

Acalypha wilkesiana
'Beyond paradise'

Ageratum houstanianum
'Leilani'

*Argyranthemum
frutescens* 'Beauty yellow'

*Argyranthemum
frutescens* 'Flutterby'

Begonia X Gryphon

Bidens ferulifolia
'Goldilocks rocks'

Celosia plumosa
'Chinatown'

Coleus sp.
'Jaune'

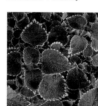

Coleus sp.
'Rouge'

Coleus X 'Trailing Red'

Coprosma
sp. 'Evening glow'

Cosmos bipinnatus
'Sensation daydream'

Cosmos bipinnatus
'Sonata blanc'

Cosmos sulphureus
'Cosmic orange'

Impatiens walleriana
'Accent blanc'

Impatiens walleriana
'Accent orange'

Impatiens walleriana
'Accent rouge'

Impatiens walleriana
'Accent violet'

Lantana camara
'Luscious berry blend'

Lantana camara
'Luscious citrus blend'

Lantana camara
'Luscious tropical fruit'

Portulaca grandiflora
'Cherry baby'

Portulaca grandiflora
'Cupcake carrot'

Portulaca grandiflora
'Yellow chrome'

PLANTES D'ACCOMPAGNEMENT | SIDE PLANTS

Rudbeckia hirta
'Autumn colors'

Rudbeckia hirta
'Denver daisy'

Rudbeckia hirta
'Prairie sun'

Rudbeckia hirta
'Tiger Eye gold'

Salvia coccinea
'Summer jewel red'

Salvia farinacea
'Evolution'

Scaveola aemula
'Blue wonder'

Tagetes patula
'Durango jaune'

Tagetes patula
'Durango orange'

Tagetes patula
'Durango rouge'

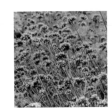
Tagetes patula
'Durango tangerine'

Verbena bonariensis

Zinnia interspecific
'Profusion coral pink'

Zinnia interspecific
'Profusion deep apricot'

Zinnia interspecific
'Profusion fire'

Zinnia interspecific
'Profusion white'

Zinnia interspecific
'Profusion yellow'

Zinnia marylandica
'Double zahara strawberry'

GRAMINÉES ET AUTRES | GRASS AND OTHERS

Carex buchananii
'Red rooster'

Carex comans
'Amazon mist'

Carex flagellifera
'Bronzita'

Melinis nerviglumis
'Savannah'

Pennisetum macrouruna
'Tail feathers'

Pennisetum setaceum
'Rosy Red'

Stipa arundinacea
'Sirocco'

Stipa tenuissima
'Pony tails'

TERRE D'ESPÉRANCE
LAND OF HOPE

LES ÉQUIPES

La création d'une exposition comme « Terre d'Espérance » requiert l'expertise, le talent et la créativité de nombreux professionnels et artisans. Aux 300 horticulteurs se joignent les architectes paysagistes, artistes soudeurs, concepteurs visuels, coordonnateurs, gérants de chantiers, ingénieurs, peintres, gestionnaires de projets, sans oublier les équipes de direction, de communications et de marketing.

THE TEAMS

Putting together an exhibition such as "Land of Hope" draws on the expertise, talent and creativity of a great many professionals and craftspeople. In addition to the 300 horticulturists involved, there are landscape architects, visual designers, artistic welders, painters, coordinators, site managers, engineers and project managers, not to mention the management, communications and marketing teams.

LES ÉQUIPES
THE TEAMS

Pierre Gour, Suzanne Ethier, François Gravel, Lise Cormier, Normand Francœur, Lise Huneault

Normand Rosa, Normand Francœur, Sébastien Patenaude-Francœur, Fernand Boivin

ÉQUIPE DE DIRECTION | MANAGEMENT TEAM

VICE-PRÉSIDENTE EXÉCUTIVE ET DIRECTRICE GÉNÉRALE
EXECUTIVE VICE-PRESIDENT AND GENERAL MANAGER
Lise Cormier

DIRECTRICE DES RELATIONS INTERNATIONALES
INTERNATIONAL RELATIONS DIRECTOR
Suzanne Ethier

DIRECTEUR DE L'ADMINISTRATION ET DES FINANCES
ADMINISTRATION AND FINANCE DIRECTOR
Pierre Gour

GESTIONNAIRE DE PROJETS
PROJECT MANAGER
François Gravel

DIRECTRICE DES COMMUNICATIONS ET DU MARKETING
COMMUNICATIONS AND MARKETING DIRECTOR
Lise Huneault

Gao Fang Lao, Fernand Boivin, Fernand Fréchette

CADRES ET PROFESSIONNELS
LEADERS AND PROFESSIONALS

HORTICULTEUR EN CHEF
CHIEF HORTICULTURIST
Normand Francœur

HORTICULTEURS EN CHEF ADJOINTS
ASSISTANT-CHIEF HORTICULTURISTS
Normand Rosa
Volet international

Sébastien Patenaude-Francœur
Volet national

COORDONNATEUR — RECHERCHE, DÉVELOPPEMENT ET APPROVISIONNEMENT
RESEARCH, DEVELOPMENT AND SUPPLY COORDINATOR
Fernand Boivin

GÉRANT DE CHANTIER
SITE MANAGER
Fernand Fréchette

Ruwayna Ghanem, Guillermo Aguerrevere, Diana Elizalde, Malaka Ackaoui, Antoine Crépeau, Rachel Philippe-Auguste, Laurie Perron, Nadine Mouawad, Ziad Haddad

ARCHITECTURE DU PAYSAGE, AMÉNAGEMENT ET DESIGN | LANDSCAPE ARCHITECTURE, SITE PLANNING AND DESIGN
WAA — WILLIAMS, ASSELIN, ACKAOUI ET ASSOCIÉS

DIRECTRICE — WAA MONTRÉAL
DIRECTOR — WAA MONTRÉAL
Malaka Ackaoui

ARCHITECTE PAYSAGISTE EN CHEF
CHIEF LANDSCAPE ARCHITECT
Antoine Crépeau

ARCHITECTES PAYSAGISTES
LANDSCAPE ARCHITECTS

Guillermo Aguerrevere
Diana Elizalde
Ruwayna Ghanem
Ziad Haddad

Nadine Mouawad
Mario Najera
Laurie Perron
Rachel Philippe-Auguste

ÉQUIPES DE DIRECTION, DES COMMUNICATIONS ET DU MARKETING, ET DES RELATIONS INTERNATIONALES

MANAGEMENT, COMMUNICATIONS AND MARKETING, AND INTERNATIONAL RELATIONS TEAMS

Verna Poirier, Pierre Gour, Ruth Collins

DIRECTION | MANAGEMENT

DIRECTEUR DE L'ADMINISTRATION ET DES FINANCES
ADMINISTRATION AND FINANCE DIRECTOR

Pierre Gour

ADJOINTE DE DIRECTION
EXECUTIVE ASSISTANT

Ruth Collins

ADJOINT À LA DIRECTION GÉNÉRALE POUR LA CHINE
ASSOCIATE DIRECTOR FOR CHINA

Pierre Bouchard

COORDONNATEUR — CHINE
COORDINATOR — CHINA

Gao Fang Lao

ADJOINTE À LA COMPTABILITÉ
ACCOUNTING ASSISTANT

Verna Poirier

Valérie Dupras, Lise Huneault, Jérôme Dupras, Suzanne Beauchamp, Jacques Ouimette

COMMUNICATIONS ET MARKETING
MARKETING AND COMMUNICATIONS

DIRECTRICE
DIRECTOR

Lise Huneault

CHEF — RELATIONS PUBLIQUES ET ÉVÉNEMENTS SPÉCIAUX
CHIEF — PUBLIC RELATIONS AND SPECIAL EVENTS

Suzanne Beauchamp

ATTACHÉE DE PRESSE
PRESS COORDINATOR

Joanie Doucet

CONSEILLER STRATÉGIQUE
STRATEGIC CONSULTANT

Jacques Ouimette

COORDONNATRICE À LA CONCEPTION VISUELLE
VISUAL DESIGN COORDINATOR

Valérie Dupras

COORDONNATEUR — ENVIRONNEMENT ET DÉVELOPPEMENT DURABLE
COORDINATOR — ENVIRONMENT AND SUSTAINABLE DEVELOPMENT

Jérôme Dupras

Marcello Barsalou, Suzanne Ethier, Samia Sayegh

RELATIONS INTERNATIONALES
INTERNATIONAL RELATIONS

DIRECTRICE
DIRECTOR

Suzanne Ethier

ADJOINTE
ASSISTANT

Samia Sayegh

COORDONNATEUR — PARTICIPANTS INTERNATIONAUX
COORDINATOR — INTERNATIONAL PARTICIPANTS

Marcello Barsalou

LES ÉQUIPES
THE TEAMS

L'ASSOMPTION | L'ASSOMPTION
L'EAU, SOURCE DE VIE | WATER, SOURCE OF LIFE
Cynthia Beaudry, Karine Perreault

SHANGHAI | SHANGHAI
UNE HISTOIRE VRAIE ! | A TRUE STORY!
Groupe de Shanghai

BUSAN | BUSAN
COEXISTENCE | COEXISTENCE
Lim Chol, Chae Sang-youp, Seo a-ra, Yu tae-suk, Ko boo kyu

PROVINCE DE HAINAUT | PROVINCE OF HAINAUT
LE JARDIN DES INSECTES | THE INSECTS' GARDEN
Didier Leduc, Marjorie Montagne, Karl Raulier, François Rossi, Stéphane Wilmotte

HAMAMATSU | HAMAMATSU

**HAMAMATSU, VILLE CRÉATIVE : SYMBIOSE DE L'HOMME
ET DE LA NATURE TOURNÉE VERS L'AVENIR
HAMAMATSU, CITY OF CREATIVITY: LOOKING TOWARD
THE FUTURE THROUGH A SYMBIOSIS OF MAN AND NATURE**
*Daisuke Aoki, Hiroki Ichikawa, Tenryu Kobayashi, Kanato Sakaguchi,
Tamako Ogura (Toyoda Mitsutoshi — absent)*

GAZIANTEP | GAZIANTEP

GYPSY GIRL — GAÏA | GYPSY GIRL—GAIA
Asli Odyakmaz, Ferhat Otgen, Ersin Ozbadem

SHERBROOKE | SHERBROOKE

**UN PETIT PONT POUR L'HOMME, UN GRAND PAS
POUR LA BIODIVERSITÉ ! | ONE SMALL BRIDGE
FOR MANKIND, ONE GIANT LEAP FOR BIODIVERSITY**
Jean Caron, Claude Giguère, Maude Pelletier

BEIJING | BEIJING

**PLANTER DES PLATANES POUR ATTIRER LE PHÉNIX
PLANTING PLANE TREES TO ATTRACT THE PHOENIX**
Groupe de Beijing

LES ÉQUIPES
THE TEAMS

VERDUN | VERDUN
BOULEVERSEMENTS | UPHEAVAL
Martin Desgagné, Michelle Côté, Robert Dagenais, Hélène Laliberté, Élise Meunier

MONTRÉAL | MONTRÉAL
LE JARDIN DE VERRE ET DE MÉTAL
THE GARDEN OF GLASS AND METAL
Albert Mondor, Ismael Hautecœur, Jérémie Soprano, Jonathan Alsberghe

MEXICO | MEXICO
AU FIL DE L'EAU | GO WITH THE FLOW
Margarita Martinez Elizondo, Francisco Javier Sosa Elizondo, Martha Sophia Elizondo Ramirez

CALIFORNIE | CALIFORNIA
CES FERMIERS QUI NOURRISSENT LA PLANÈTE !
FARMERS: THE PEOPLE WHO FEED THE WORLD
Nicholas Beter, Amanda Borges, Andrea Goodman, Trish Lyons, Rachel Maiorino,
William Medford, Lauren Milliken, Dr John Peterson, Eva Reutinger, Oscar Rodriguez,
Hallie Schmidt, Cody Wallace, Chris Wassenberg, William Rose

BARCELONE | BARCELONA
LA SALAMANDRE SELON GAUDÍ
THE SALAMANDER ACCORDING TO GAUDÍ
Gabino Carballo, Manuel Herrega, Gerado Olivan

CADRES ET PROFESSIONNELS | LEADERS AND PROFESSIONALS
NORMAND FRANCŒUR | CONRAD BERTRAND | SÉBASTIEN PATENAUDE-FRANCŒUR | NORMAND ROSA
FERNAND BOIVIN | YAN LEFEBVRE | NAOMI JARRY

CHEFS D'ÉQUIPE EN HORTICULTURE | HORTICULTURE TEAM LEADERS
SÉBASTIEN SARAZIN | JULIE SÉGUIN | PAULINE LAHAYE | JACINTHE PLANTE | VIVIANE FORTIER
JEAN-SÉBASTIEN BLACKBURN | LUCIE BELISLE | RENAUD VEZEAU-SIMARD | MICHEL SIROIS | ANNIE TAPP

ÉQUIPE DE KADRIFORM (STRUCTURES) | KADRIFORM TEAM (STRUCTURES)
MICHEL BRIDEAU | RAYMOND BROUILLARD | FRANÇOIS GRAVEL | SÉBASTIEN TREMBLAY

SCULPTEURS-SOUDEURS | SCULPTOR-WELDERS
JONATHAN BEAUCHEMIN | MICHEL BELLEVILLE | GILLES BISSONNET | GABRIEL BORDELEAU | BENOÎT CAYER
NANOUK CONAN | FRÉDÉRICK D.-FORGET | ANDRÉ DESJARDINS | RICHARD DESTREMPES | MARIO DRAINVILLE
ANDRÉ DROLET | SERGE DUPREUIL | ALAIN FOURNELLE | MATHIEU GRAVEL | MICHEL GAUTHIER
PHILIPPE GRENIER | GUILLAUME HARVEY ST-GERMAIN | MARIO HOUDE | ALEXANDRE JAMES MITCHELL
PIERRE-ALEXANDRE LACHANCE | JEFFREY LAFERRIÈRE | MICHEL LAFRANCE | GABRIEL LAVOIE
RAYMOND LANGLOIS | DANIEL LEE | KARL MAC KAY | ROLLAND PLANTE | BERTRAND POTVIN | JEAN RASMUSSEN
DANIEL ST-MARTIN | DENIS TARDIF | PERRY YIELDING

PEINTRE SCÉNIQUE | SCENIC PAINTER
FRANÇOIS BÉLAND

DESSINS TECHNIQUES ET MODÉLISATION 3D | TECHNICAL DRAWINGS AND 3D RENDERING
DESIGN TRICONCEPT INC. | YVES LOIGNON | ESTELLE JUGANT | ZOUBEIR AZOUZ

HORTICULTEURS | HORTICULTURISTS
MYRIAM AUCLAIR | ISABELLE AUDIGÉ | VALÉRIE BARETTE-MAYRAND | MÉLANIE BEAULIEU
MÉLISSA BEAUMONT-HENRY | PHILIPPA BECKER | MARIE-KIM BONIN | CATHERINE BOUDREAU-MORIN
VINCENT BOUFFARD | BRIGITTE BOULANGER | DIANE BOYER | GERMAIN BRANCONNIER
LEIAGH BRENNAN-MURFITT | FRÉDÉRIQUE BROCHU-BLACKBURN | ARIANNE CARON-RATTÉ
JASMIN CARON | MARC-ANDRÉ CHARLAND | MAXIME COMEAU | ALICE COMTOIS | MAGNOLIA CONTRERAS AMAYA
SABRINA COOPER | LINDA CORIVEAU | SUZANNE CÔTÉ | LISE CÔTÉ | MAUREEN CÔTÉ | LUCIE COUILLARD
JÉRÔME DESCHÊNES | ÉMILE DESJARDINS | MARC-ANDRÉ DOLBEC | MARIANNE DUHAMEL | ALAÏS ESCOZ
VALÉRIE FAUVEL-BENOIT | CATHERINE FERLAND | GABRIEL FILIATREAULT | ÉTIENNE FONTAINE
MÉLISSA CORINE FONTAINE | SÉBASTIEN FRANCŒUR | NORMAND FRANCŒUR | MAXIME FRANCŒUR-LAVOIE
CYNTHIA FRANCŒUR | DIANE FRANCŒUR | KARINE FRAPPIER | THOMAS FREIRE | JONATHAN GAGNON CALDERON
JACQUELINE GAGNON | JULIE GAGNON | KASSANDRA GARIÉPY | NADIA GAUTHIER | CLAUDE GIGUÈRE
KARINE GIRARDEAU | ETIENNE GOBEILLE-CONNELLY | SIMON GOUR | GUYLAINE HÉBERT | VALÉRIE HEINE
MUTSUKO HORI | AUDREY HOTTIN | DENISE HUOT | NAOMI JARRY | MAXIME L'HEUREUX-BRUNELLE
ALEXIS L'ITALIEN-ST-DENIS | LISE LACHAPELLE | SAMUEL-OLIVIER LAFLAMME | PATRICK LAJEUNESSE LAVOIE
JOSÉE LAMARCHE | MAX LANDREVILLE | SANDRINE LARIVIÈRE | MATHIEU LAROUCHE | MÉLISSA LAROUCHE
FANIE LAUZON | NATHALIE LAVALLÉE | CHARLES LAVOIE | ISABELLE LAVOIE | VICKY LAVOIE
CHARLES LAVOIE PAYER | JEAN-FRANÇOIS LEDUC | HUBERT LEFEBVRE | FRÉDÉRIQUE LESSARD
GUILLAUME MAHEU | HÉLÈNE MANDEVILLE | KARINE MARIN | KAROLYNE MARTEL | CLAUDINE MATHIEU
LUCIE MAYRAND | ÈVE MEUNIER | GISÈLE MICHAUD | CLAIR-ÉMIL MICHEL | CLAIRE MIVILLE
ABDESSAMARL NAHLI | MANAL NAJI | SAM NGUYEN | MARIA ORTEGA-GURZA | VALÉRIE PARENT
MATHIEU PELLETIER | MAUDE PELLETIER | FRANÇOIS PERRAS | MARILYN PERREAULT | PASCALE PERREAULT
SAMUEL PERRON-THIVIERGE | MARIE-MICHÈLE PERRON | RENAUD PHANEUF | MYRIAM-ISABELLE POISSON
MARIO POMERLEAU | LÉONIE PRONOVOST | PIERRETTE PROVENCHER | GENEVIÈVE PROVENCHER
ALEXANDRE PRUD'HOMME | DANIEL QUESNEL | LOUISE RACICOT | OLIVIA RATTÉ | MARIELLE RAYMOND
SUNY RIOUX | OLIVIER ROBITAILLE | NAJA RONZETTI | JULIEN ROSA-FRANCŒUR | MARTIN ROUSSEAU-RIVARD
MARIE-JOSÉE ROUX | VIRGINIE ROY-MAZOYER | JULIE SIMARD | ALEXANDRE SOULIER | LUDOVIC TALBOT
SYLVIE TARDIF | ISABELLE THIBERT | SUZIE TREMBLAY | ANISKA VEILLEUX | CHANTAL VEILLEUX | PASCALE VIGEANT
XAVIER VILLENEUVE-DESJARDINS | CARLOS ZAPATA

FOURNISSEURS | SUPPLIERS
BEAUDOUIN HURENS | THOMAS CONNOR | NICOLAS MARTIN | RÉJEAN SAVARD | **CENTRE DE POMPES VILLEMAIRE**
SYLVAIN BEAUDOIN | **CIRILLO F. MORMINA** | BOBBY MORMINA | GEORGES FERLISI | JOSEPH IERFINO
CONSTRIX DESIGN | GUY LEGAULT | PATRICK GUÉNETTE | YANNICK GUÉNETTE | DANY VALLÉE | ALAIN DUPONT
DUROCHER TRANSIT | STEEVE LAMONTAGNE | DANY PARADIS | **EXCAVATION S. ALLARD** | PIERRE ALLARD
LINDA ALLARD | JULIEN ALLARD | ANTOINE ALLARD | ÉTIENNE ALLARD | SUZANNE ALLARD | DIANE ALLARD
FAFARD | ÉLOÏSE GAGNON | **GÉOÏDE CONSULTANTS** | PIERRE TESSIER | RÉAL CHARTIER | **HARNOIS IRRIGATION**
MICHEL GOYET | DANIELLE HARNOIS | **INSPEC-SOL** | YVAN FRENCH | MARYSA BATISTA | **IRRIGATION PLUS**
SERGE LACHAPELLE | JONATHAN LACHAPELLE | MAXIM PERREAULT | ROGER OUIMET | MICHEL BLOUIN
ALAIN FORTIER | ERIC GAGNÉ | **LES INDUSTRIES HARNOIS** | ANDRÉ AUGER | **LES SERVICES EXP**
PIERRE BERGERON | **SAVARIA MATÉRIAUX PAYSAGERS** | STEEVE SAVARIA | **SNC-LAVALIN** | RAYMOND BLEAU
PATRICK MATTAR | **TURF CARE** | SÉBASTIEN VAN HOUTTE

L'ÉQUIPE DE BÉNÉVOLES
THE VOLUNTEERS TEAM

HALA ABDEL KHALEK | JEANNINE ABITBOL | DANIEL ALESSANDRINI | NICOLE ALLARD PAIEMENT | MARIA ALZATE
PHILIPPE ARSENEAULT | HUGUETTE AUDY | RAYMONDE BEAUCHAMP | BERNARD BEAUDRY | HÉLÈNE BEAULAC
MICHEL BEAULIEU | JEAN-MICHEL BELANZARAN | ANDRÉE BELLEFEUILLE | PAULE BENJAMIN | LOUIS BERGER
BÉATRICE BERLAND | JEAN-LOUIS BERTHIAUME | CLAUDINE BISSON | FRANCINE BONNEAU
MARIE-THÉRÈSE BOUCHARD | PAULE BOUCHARD | LUANA BOULANGER | MONIQUE BOURBEAU | HÉLÈNE BOURRET
TANYA BOUSQUET SAINT-LAURENT | DENISE BRESSE | HENRI-PAUL BRONSARD | CAROLE BROSSEAU
PHUONG-THAO BUBENDORFF | FRANÇOISE BUJOLD | COLETTE BUTET | MICHÈLE CARIGNAN
LÉO-PAUL CARON | DIANE CLÉMENT | LISE CÔTÉ | PIERRETTE COULOMBE | LISE COUTURE | BRIGITTE DALLAIRE
LISE DE LONGCHAMP | PAUL DÉCARIE | MICHÈLE DEMERS | PAUL DEMERS | LOUIS DENOBILE | CLAUDE DERLY
LOUISE DESLANDES | LOUISE DESMARAIS | CARMEN DESPRÉS | FRANCINE DORAIS GODSEY | JOËLLE DORAIS
MICHEL DORAIS | NICOLE DOUCET | HUGUETTE DUCLOS | FRANCINE DUFORT | RAYMOND DUFORT | YVES DUMOULIN
JOHANNE DUPUIS | MAUREEN ELLIS | LOUISE FAFARD | LUCILLE FAVREAU | LOUISE FORGET | DENISE FORTIN
IRÈNE FORTIN | CLAIRE GAGNIER | CLAUDETTE GAGNON | NORMAND GAGNON | ALEJANDRO GARCIA
ÉRIC GARNEAU | LOUISE GAUDET | LOUISE GINGRAS | MARIE-JOSÉE GODBOUT | ANNIE GOUTIER
HUGUETTE GUÉRIN | ANDREEA ILIESCU | GISÈLE JANELLE | GEORGINA JIMENEZ | DIANE JUTEAU | OSANNE JUTEAU
RHÉA L'ITALIEN | SUZANNE LABELLE | SUZANNE LABRECHE | FRANCINE LACHANCE | MONIQUE LACHANCE
CAROLLE LACROIX | JULIE LAFLAMME | AGATHE LALIBERTÉ | DIANE LALONDE | RENÉE LAMIRANDE
HÉLÈNE LAMONDE | PAULE LAMONTAGNE | GUYLAINE LANDRETH | DOREEN LANDRY | JACQUES LANDRY
CARMELLE LAPOINTE PICARD | JEAN LAROUCHE | LISE LAVIGNE TESTE | DENYSE LE BOURDAIS
FLEURETTE LEBLANC | JULIE LEE | GISÈLE LEFEBVRE | COLETTE LEMAY | LOUISE LEMAY | MARIA-GRAZIA LEMME
CLAUDE LUCIER | SUZANNE MAINVILLE | ANCA MARIAN | LISE MARTIN | LISE MARTINEAU | ROBIN MAYES
HANNA MEAGAN | DIANE MELANSON | FRANÇOISE MORICE | LOUISE NADEAU | LORRAINE NAULT
DANIEL OUELLET | JEAN-FRANÇOIS OUIMET | PHILIPPE OVERY | TANG PAOLY | FRÉDÉRIC PARÉ | FLORENCE PARENT
NICOLE PELLETIER LEMAY | FRANCINE POIRIER | MONIQUE POISSANT | BELKIS POSSAMAI | MARIELLE POULIN
JEAN RIVARD | MAGUY ROBERT | ELIZABETH ROBINSON | ALINE ROBY | CAROLINA ROSERO | HÉLÈNE SAMSON
NICOLE SANTERRE | GAËTAN SAUVAGEAU | ROSE-ANDRÉE SAUVAGEAU | CRISTINA SAWCHYN | CRYSTAL SAYERS
ERIC SCHVARTZ | LOUISE SHEILS | FRANCINE SIMARD | DORIS SIMONEAU | MONIQUE SOUCY | ALINE ST-LAURENT
JEAN-LUC TAILLON | DENISE TELLIER | LILIANE TESSIER | ANTOINETTE TOMASSINI | HUGUETTE TREMBLAY
FRANCINE VERMETTE | HÉLÉNA WOJCIECHOWSKI